U0012622

魔女 2

IGARASHI DAISUKE

魔女　第2集　目次

星星獲得生命，
星星死滅成塵。
塵土於某處再度聚合，
混合，
重生為新的星星，
然後，
又逐漸死去。

在那
反覆循環的過程中。
所有物質上，
都刻畫著它們曾為生命時的
記憶。

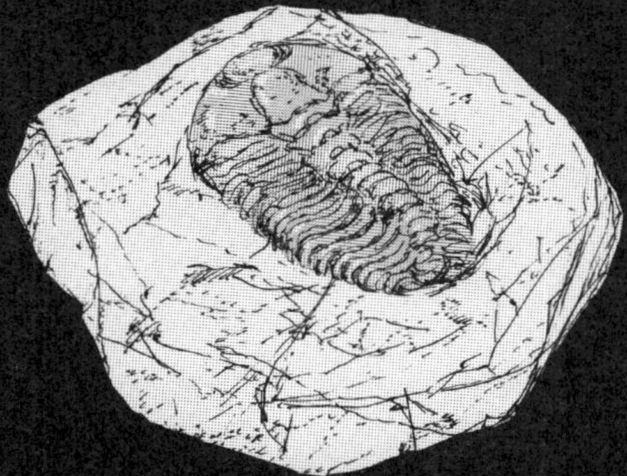

PETRA GENITALIX
ペトラ・ゲニタリクス
生殖之石

2

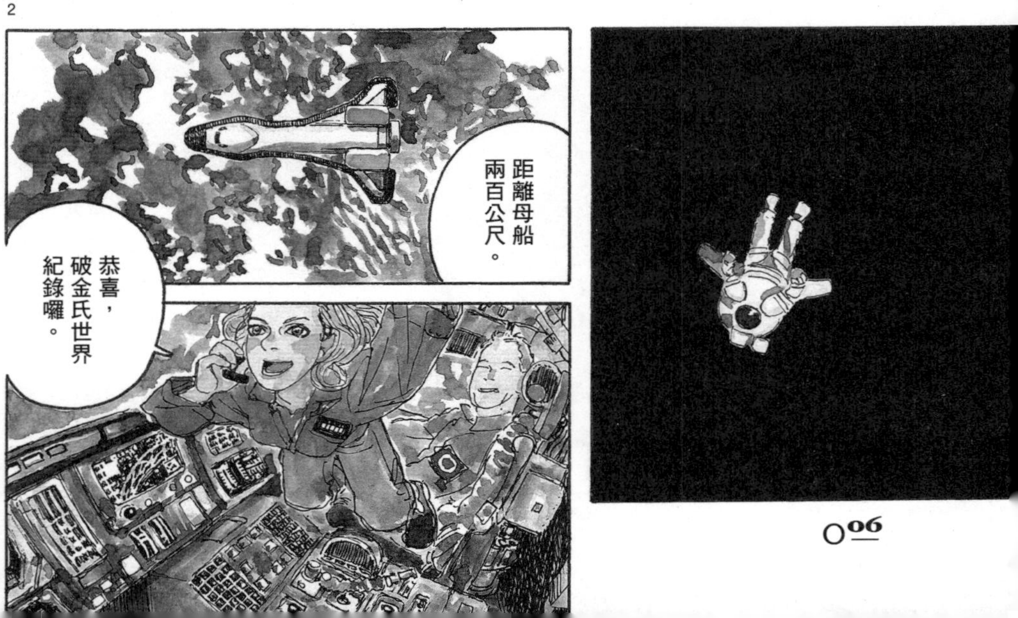

——地表三百公里上空　地心軌道上——
卡瑟爾，你現在心情如何？
呃……這個嘛。
感覺像變成了月亮喔。
我是一顆衛星，成為了那顆星球的俘虜。

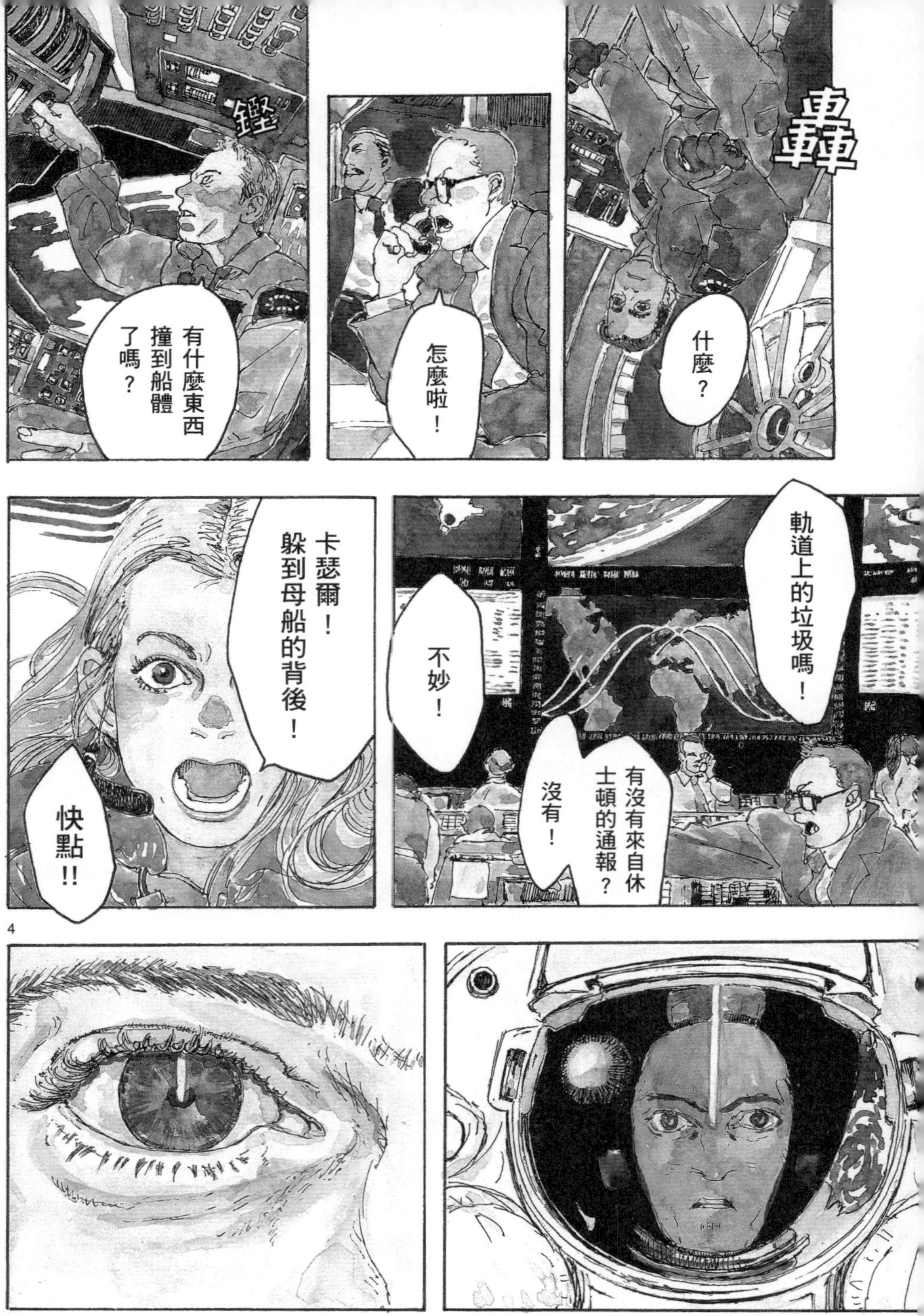
轟
什麼？
怎麼啦！
鏗
有什麼東西撞到船體了嗎？
軌道上的垃圾嗎！
有沒有來自休士頓的通報？
沒有！
不妙！
卡瑟爾！躲到母船的背後！
快點!!

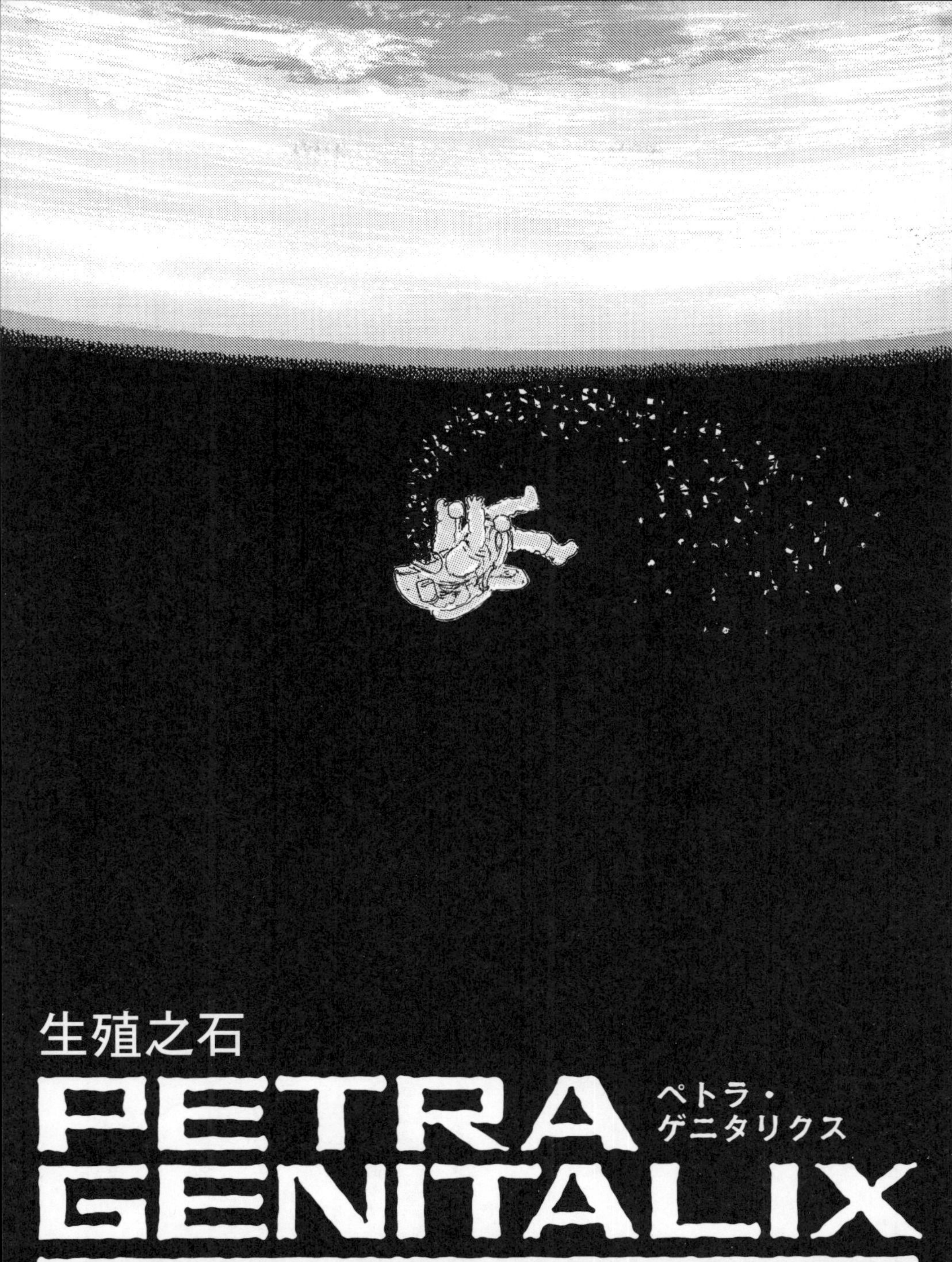

生殖之石

PETRA GENITALIX

ペトラ・ゲニタリクス

十二月（十二個月前）

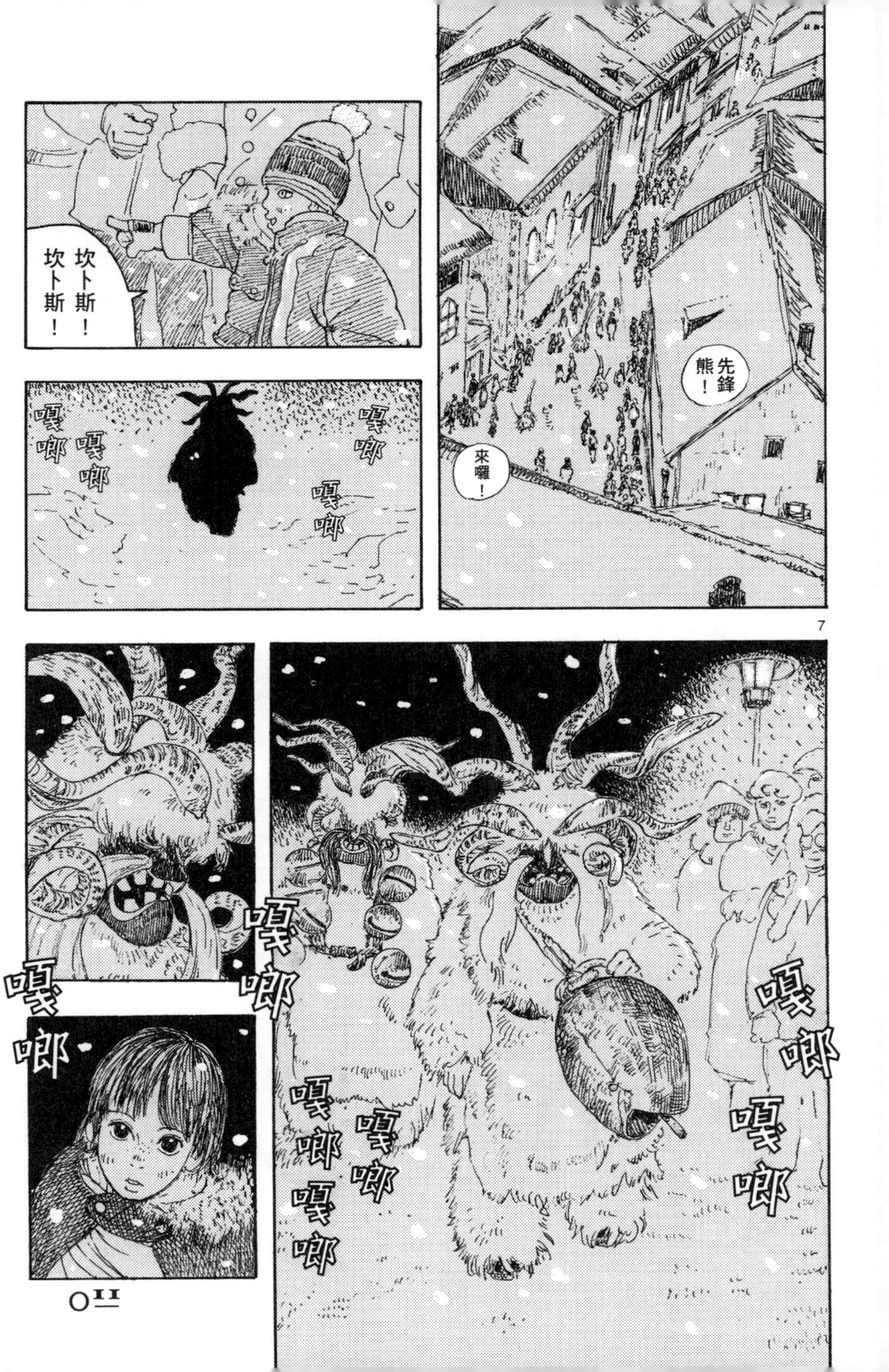

先鋒熊！
來囉！
坎卜斯！坎卜斯！
嘎啷 嘎啷
嘎啷
嘎啷
7
嘎啷
嘎啷
嘎啷
嘎啷 嘎啷
嘎啷 嘎啷
嘎啷

是來訪神坎卜斯喔。
據說祂的鈴聲可以趕跑舊年的惡。
我們快走吧。
雪勢要變得更誇張了。

※ 譯註：十二夜一般指的是十二月二十五日至主顯節一月六日。天主教家庭則有燒木柴、木炭或藥草來淨化家中的燻夜（Rauhnächte）習俗。

這是我來到
這個家之後，
第一次迎接
燻十二夜※的
某個晚上。

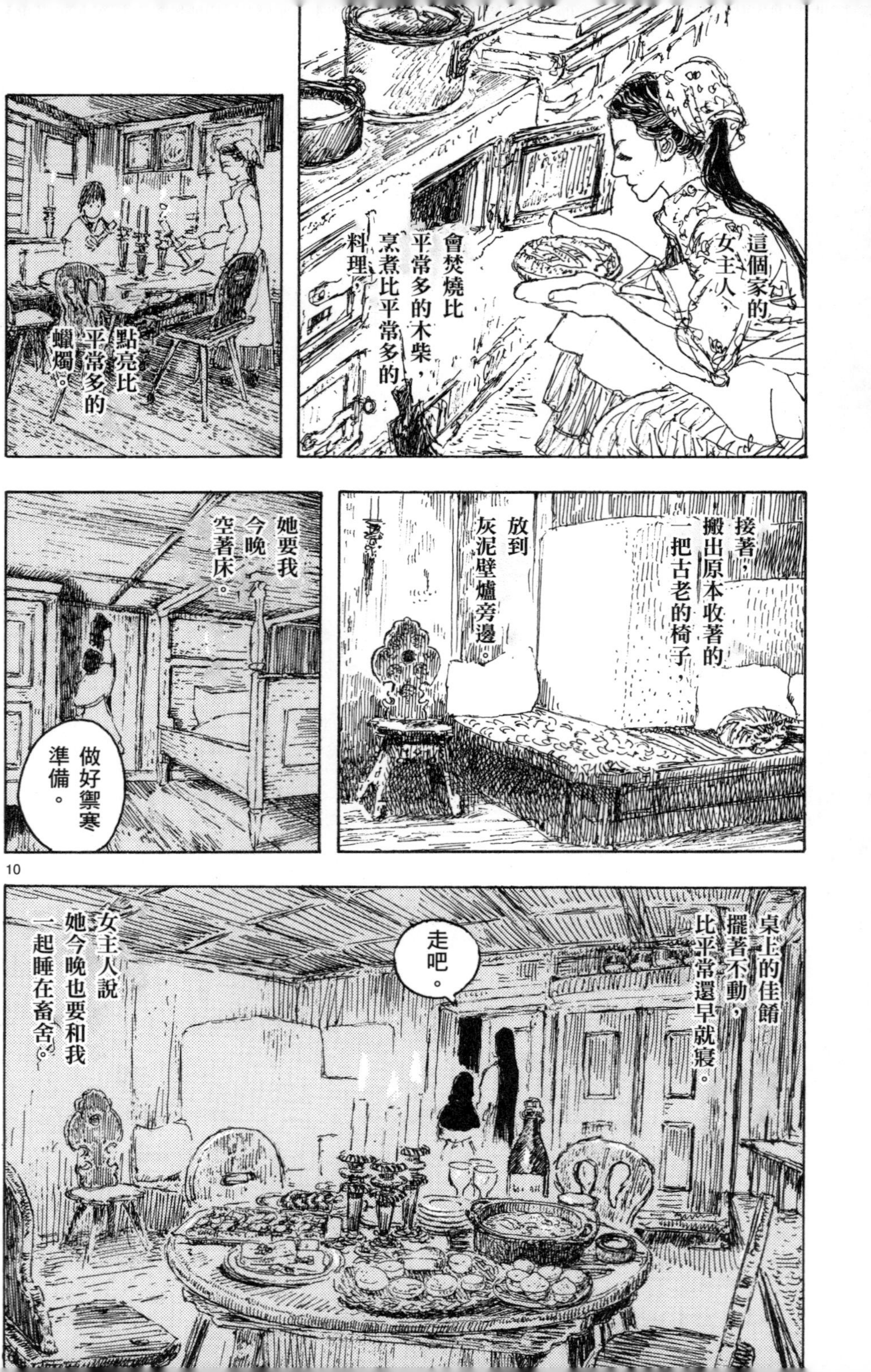
這個家的女主人，
會焚燒比平常多的木柴，
烹煮比平常多的料理，
點亮比平常多的蠟燭。
接著，搬出原本收著的一把古老的椅子，
放到灰泥壁爐旁邊。
她要我今晚空著床。
做好禦寒準備。
桌上的佳餚擺著不動，比平常還早就寢。
走吧。
女主人說她今晚也要和我一起睡在畜舍。

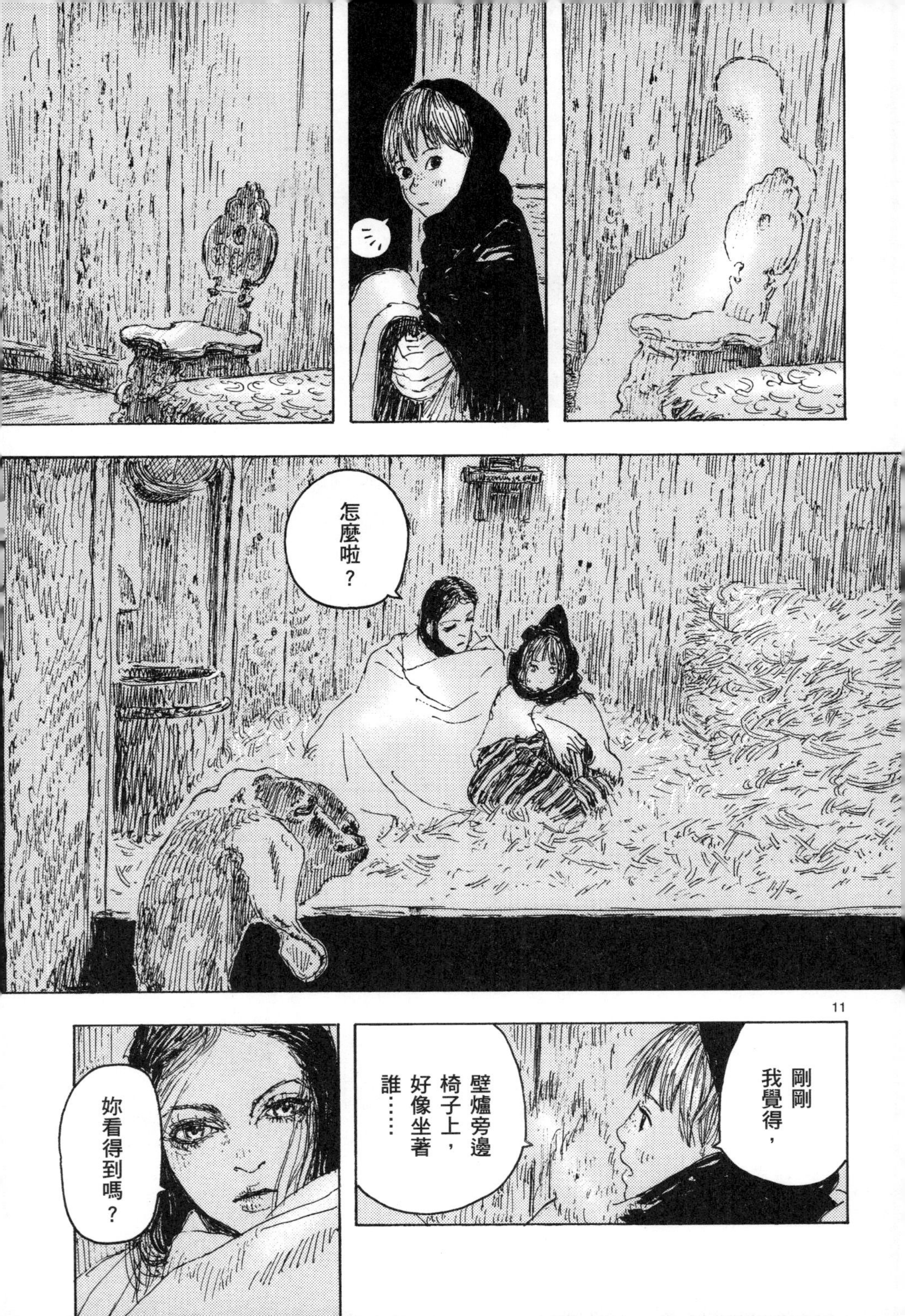
……
怎麼啦？
剛剛我覺得，
壁爐旁邊椅子上，好像坐著誰……
妳看得到嗎？

不是，呃……只是一種感覺……
對不起，說了這麼奇怪的話…
呃……
沒關係的，那是對我來說很重要的人呀。
咦
在「燻十二夜」，死者之靈會登門拜訪……

因此在這一天，要為他們把床空下來呀。
咕
咕
妳運用感性直視著事物。

所以之前才會被周圍的人輕蔑吧。
因為他們擁有的是扭曲的眼睛。
……
！
謝謝妳，艾莉西亞。
謝謝妳察覺到他的存在…
今晚…
我…
這一次也許不會再被拋棄了……
好溫暖。

13

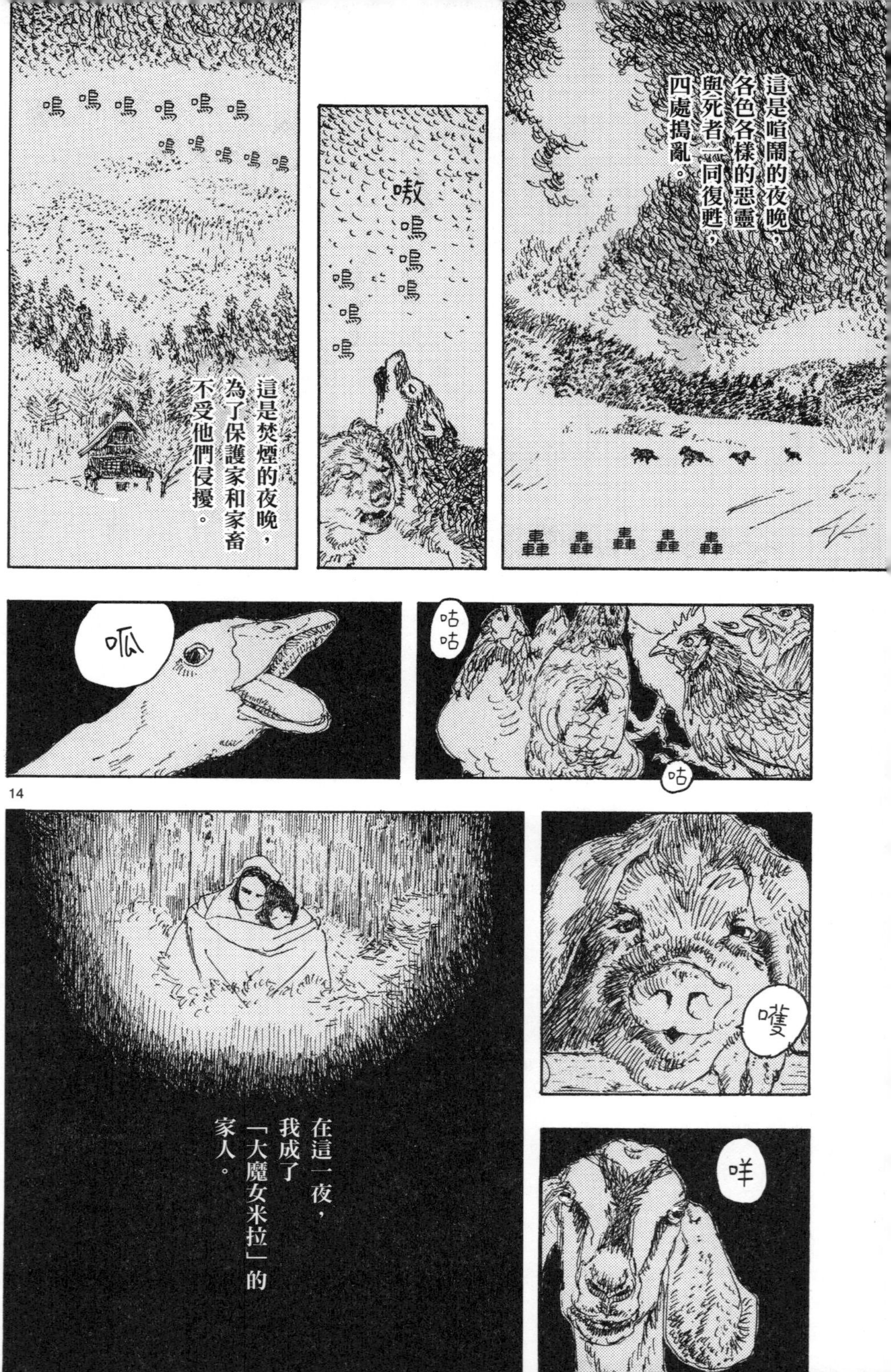
這是喧鬧的夜晚，各色各樣的惡靈與死者一同復甦，四處搗亂。
轟轟轟轟轟
嗷嗚嗚嗚
嗚嗚嗚
嗚嗚嗚嗚嗚嗚
嗚嗚嗚嗚嗚
這是焚煙的夜晚，為了保護家和家畜不受他們侵擾。
咕咕
咕
呱
嚄
咩
在這一夜，我成了「大魔女米拉」的家人。

二月（十個月前）
艾莉西亞！
我不是說不可以再讀書了嗎？
擠奶的時間到了啊！
對不起！

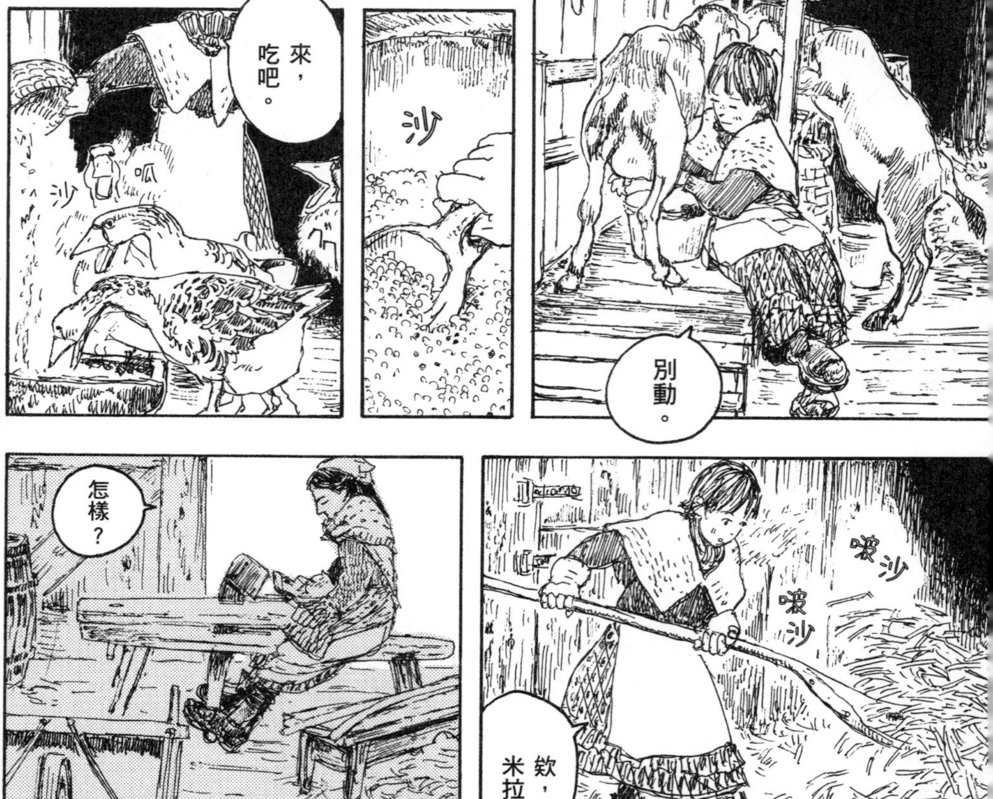
別動。
沙
來，吃吧。
沙
呱
欸，米拉。
唦沙
唦沙
怎樣？
為什麼我不能讀書呢？
喀
妳的經驗還不夠。
「體驗」和「語言」如果不等量，
叩—

16

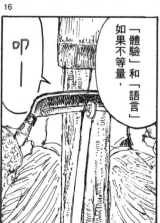

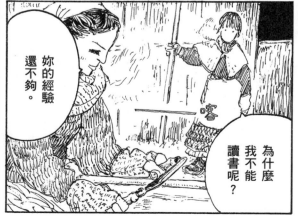

就保持不了內心平衡了唷。
咕嚕咕嚕
再說，都難得下雪了呀。
嘰—
啾咕
啾咕
要我「讀腳印」呀。
是狐狸。
相當大隻。
往漢娜太太家去了。
漢娜太太！

艾莉西亞。
有雞被攻擊了呀。
我們家的卡爾竟然徹底被擺了一道。
狐狸幹的吧。
哼
你們那裡呢？
似乎沒過來。我試著追蹤看看。
幫我向米拉問好唷。
汪

18

卡爾追到一半就折回去了呢。
「待在漢娜身邊就是卡爾的工作。」
走下這個坡…
稍微跳了一下，
咚！
著地！
沙
呵呵。
蹦！
唉呀，腳步變凌亂了。
啊！原來啊！

有兩隻！
好厲害，兩隻用完全一樣的步幅走著，
讓人以為只有一隻狐狸！
卡爾肯定傷了其中一隻吧。
牠在這裡下到沼澤喝水，
咦？
不見了！
……原來啊，是障眼法，牠是想欺騙追兵吧。那麼……
如果是我的話……
我會踩著自己的腳印倒退，盡可能往遠處……
19
跳！
有了，果然有痕跡！
小腳印越來越亂了，感覺相當痛。
噭！
啊。

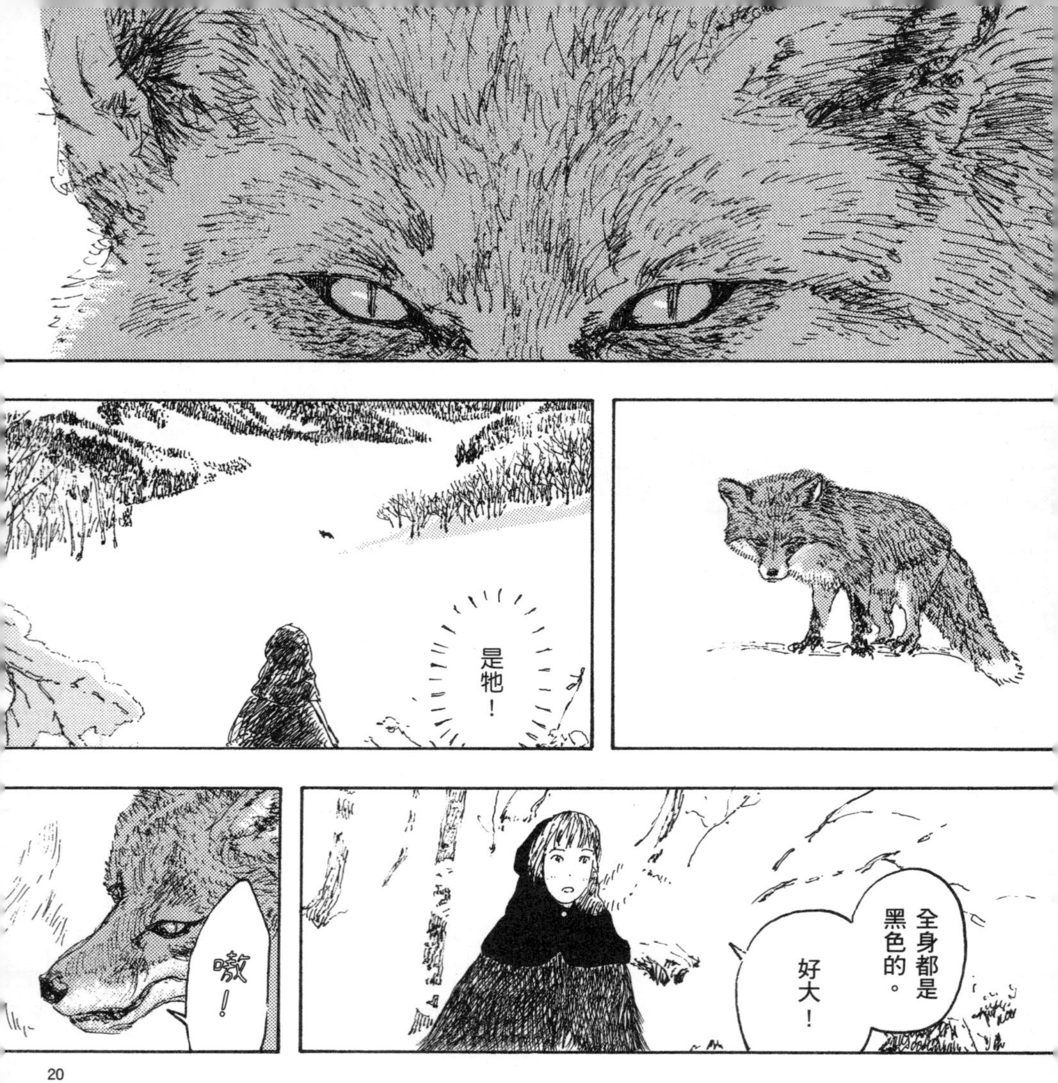
是牠！
全身都是黑色的。
好大！
嗷！

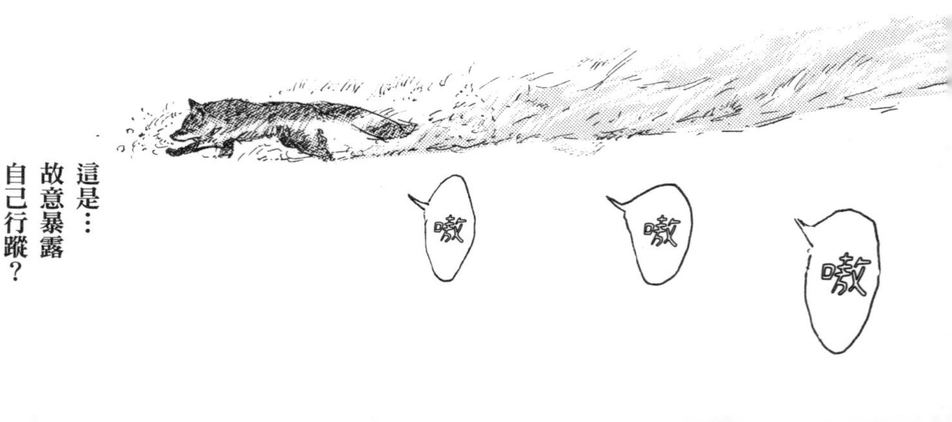
嗷
嗷
嗷
這是…故意暴露自己行蹤？

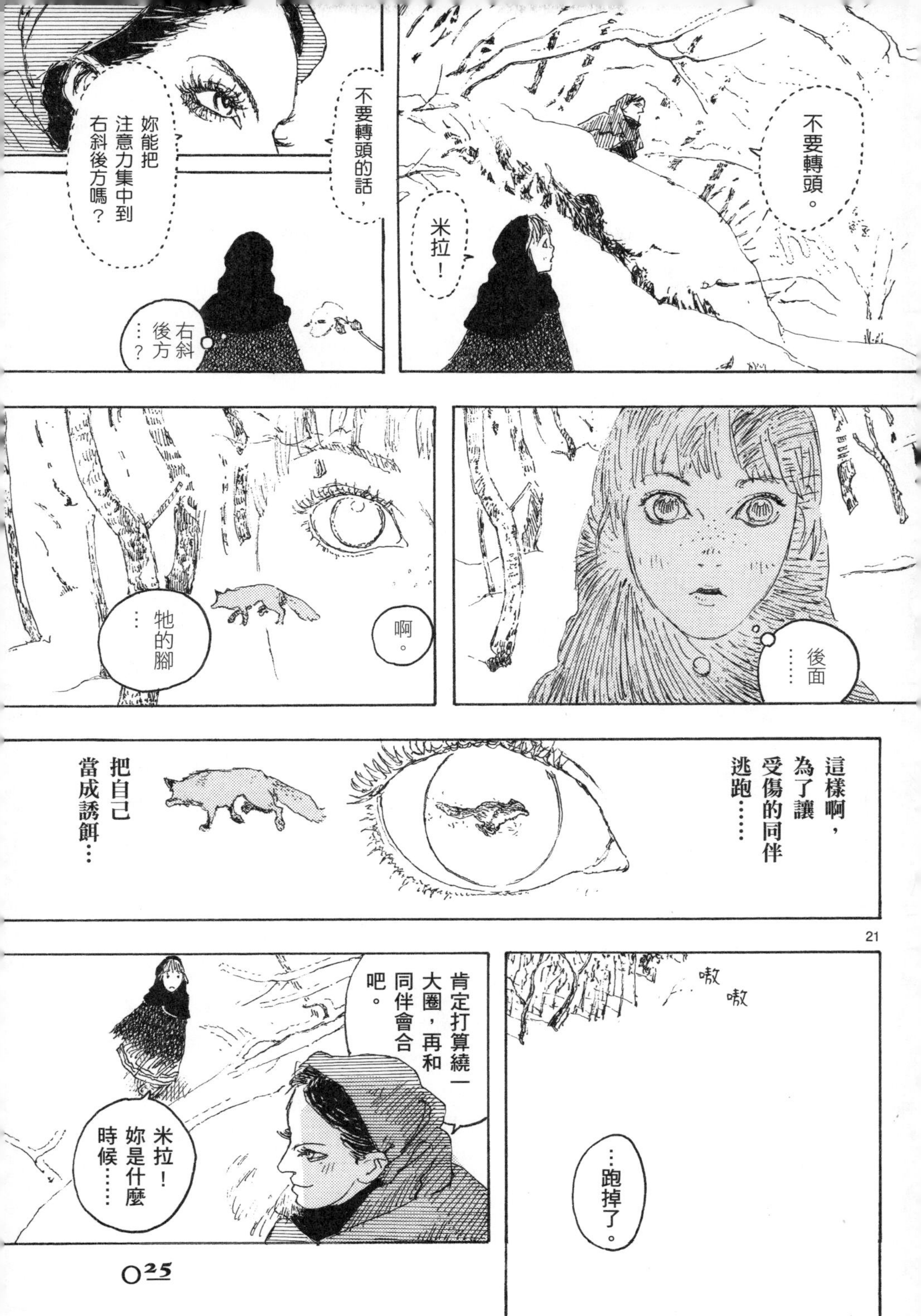
不要轉頭。
米拉！
不要轉頭的話，
妳能把注意力集中到右斜後方嗎？
右斜後方……？
後面……
啊。
牠的腳……
這樣啊，為了讓受傷的同伴逃跑……
把自己當成誘餌……
嗷
嗷
……跑掉了。
肯定打算繞一大圈，再和同伴會合吧。
米拉！妳是什麼時候……

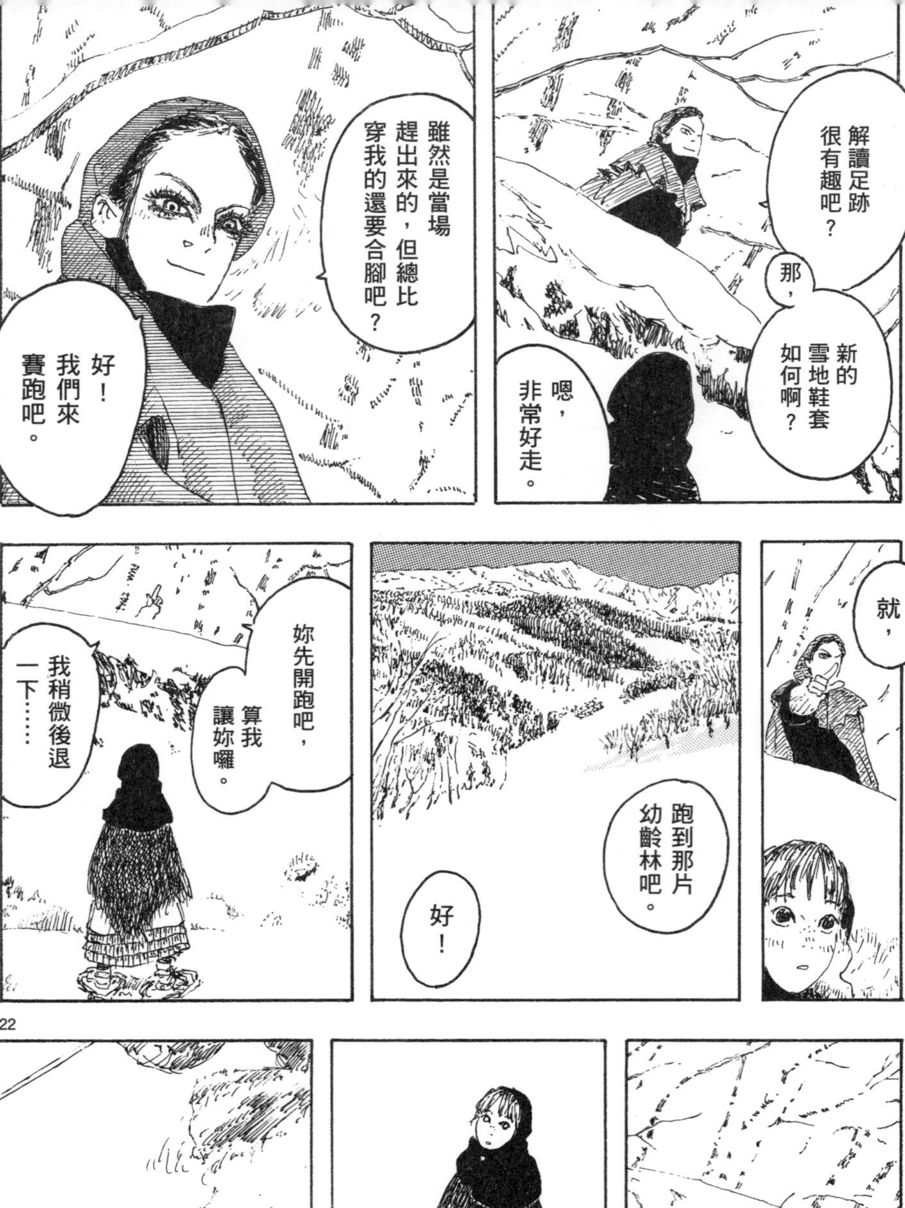
解讀足跡很有趣吧？
那，
新的雪地鞋套如何啊？
嗯，非常好走。
雖然是當場趕出來的，但總比穿我的還要合腳吧？
好！我們來賽跑吧。
就，
跑到那片幼齡林吧。
好！
妳先開跑吧，
算我讓妳囉。
我稍微後退一下……

22

……米拉？
沙。。。

嘩

咚
沙
沙
……
…不公平。

這片樹林……和艾莉西亞很像呢。
咦？
才剛出生沒多久。
好奇心旺盛。
接下來一定會，
變成廣大深邃的樹林……
……
這是很美的蛾的繭喔，這一帶只有一丁點……

25

沙啦
沙啦
佩特拉…
沙啦
沙啦
沙啦
沙啦
佩特拉…
佩特拉…
沙啦

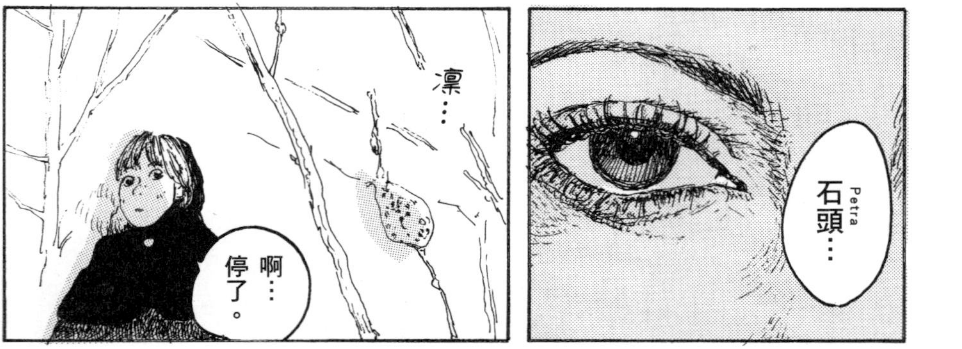
石頭（Petra）…
凜…
啊…
停了。

佩特拉…
沙啦
沙啦
沙啦
沙啦
佩特拉…
沙啦
沙啦
沙啦
沙啦
沙啦
沙啦
佩特拉…

這片森林也很喜歡艾莉西亞…
咦？

所以想向妳傳達某件事呢。

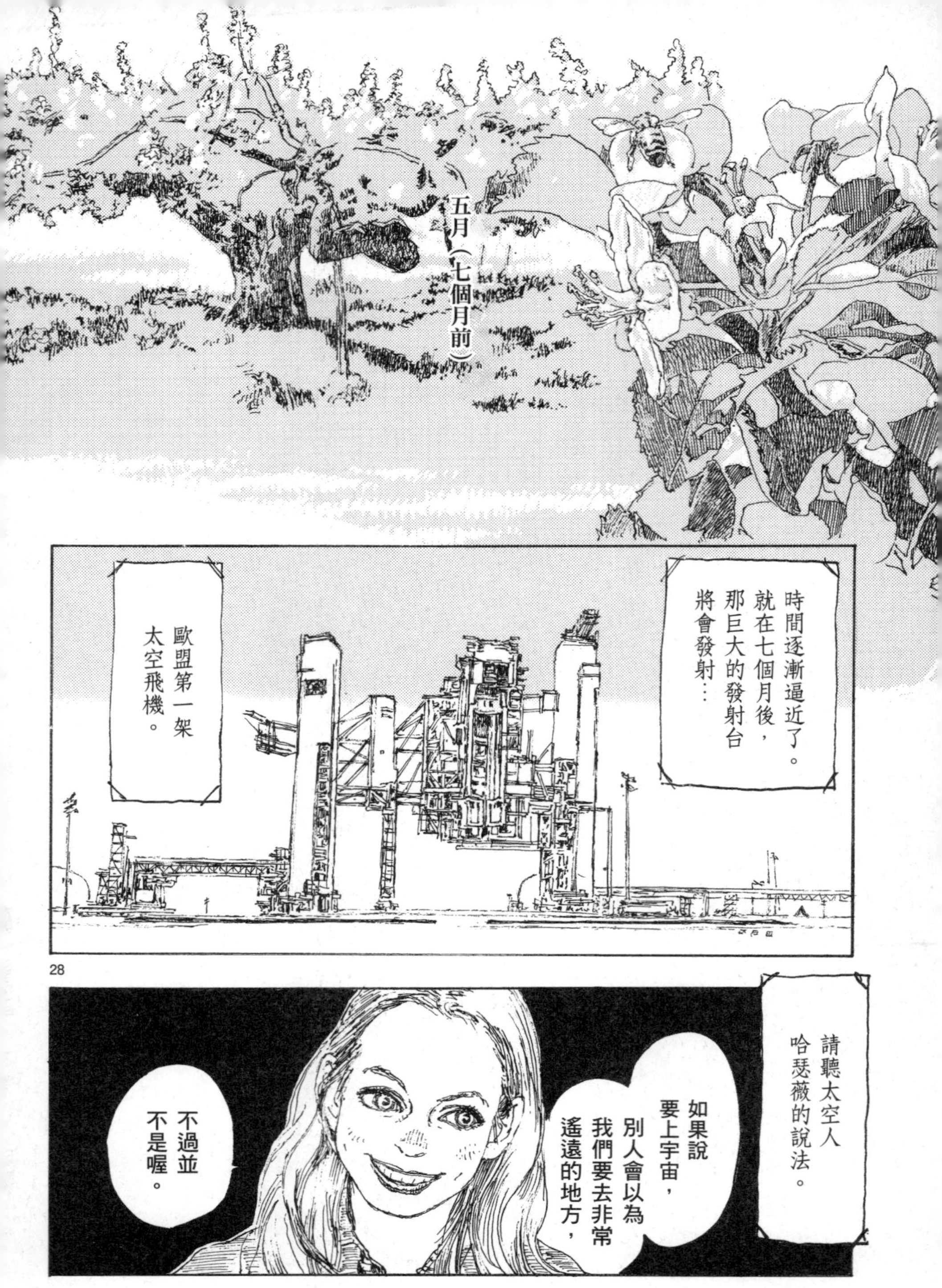
五月（七個月前）
時間逐漸逼近了。就在七個月後，那巨大的發射台將會發射…
歐盟第一架太空飛機。
請聽太空人哈瑟薇的說法。
如果說要上宇宙，別人會以為我們要去非常遙遠的地方，
不過並不是喔。

我們要去的「宇宙」，是距離地表約三百公里的地心軌道。
工作人員說，那比巴黎去倫敦的路程還短。
我跟住德國的表妹說，
跟紐約到波士頓、東京到名古屋的距離一樣長。
那大約是你們家到柏林的距離的一半喔，結果她嚇了一跳，說那麼近啊。
我希望大家知道，宇宙是一個近在咫尺的世界。
……
欸，艾莉西亞啊……
我的爺爺和爸爸，
都是在工地死的喔，他們以前都在開闢從村子裡越過山地的道路。
丟
出了很嚴重的意外呢。
……

現在的年輕人都覺得，不管去什麼地方都只要區區兩、三個小時，對此感到理所當然，
不過呢，這是因為有許多人的參與才打造出新的方法，縮短移動時間。這許多人的人生，以及大量的時間，都堆積在「理所當然」之上。
不可以忘記這點呀。
丟
自己會「輕鬆」，肯定是因為重擔轉移到某人身上了。
重大技術的相關人士如果忘記這點，
真的會很恐怖啊。
我總覺得有不好的預感。
希望不會出什麼事…
…
地面好冰啊。
啾啾
啾啾

香草園需要防霜吧。
咩
咩
啾
啾
啾
米拉！
米拉！快來！
我在漢娜家劈柴，
結果橡樹裡有文字…
原本確實是普通的原木塊啊，可是…
我把斧頭劈進去，
就裂成這樣了。

這是古代的神聖文字，歐甘字母。
上面……寫著什麼呢？
……
……「自己本身」。
也有「生命」的意思。
這是……
某種預兆嗎？
神啊……
……我們相信，

經過這次挑戰，我們從宇宙帶回來的成果，
將會連結到所有人的幸福。

七月（五個月前）
洗瓷器的時候，要在流理台鋪毛巾喔。
33

「世界」指示著一個詞語。
嗶嗶啾嗶
嗶嗶
啾嗶
嗶嗶
啾嗶嗶
嗶嗶啾嗶
嗶嗶 嗶嗶
嗶嗶嗶嗶嗶
好神奇喔。
明明只是把水和小麥粉混合，然後放著而已呀。

膨脹起來，還長了一層膜。
吃起來酸酸的，喉嚨深處有甜甜的香味。
再養一下就能當作麵種了。
……被磨碎、死了一次的麥子，
簡直像是重生了，變成不同形狀的生物。
……咦？
哩嗶
雲雀。
轟——
感覺好像有什麼東西通過了我的體內……
沙沙沙沙
沙……

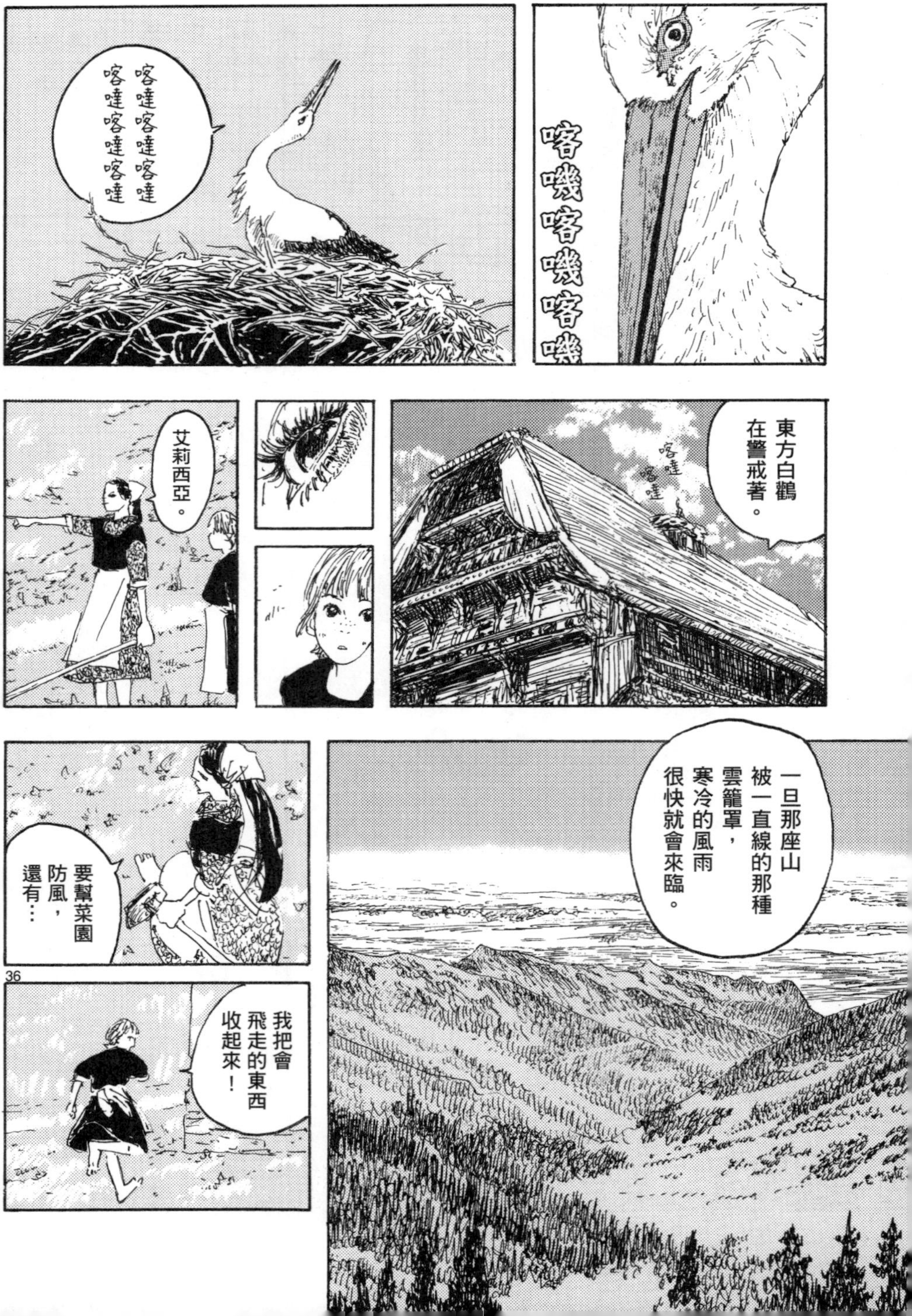
喀嘰喀嘰喀嘰
喀噠喀噠喀噠
喀噠喀噠喀噠
東方白鶴在警戒著。
喀噠喀噠
艾莉西亞。
一旦那座山被一直線的那種雲籠罩，寒冷的風雨很快就會來臨。
要幫菜園防風，還有…
我把會飛走的東西收起來！

沙
今年，冬天不斷盤踞著，
季節不肯前進。
它害怕著。
準備在情勢的盡頭吞沒我們的事物……
喀噠喀噠
喀噠喀噠
Petra Gentalix
「生殖之石」。

……回答呢？

到鎮上去，到郵局幫我寄這個。

……好的。

咦……

我……討厭鎮上……

38

……請問？

……好。

麻煩了。

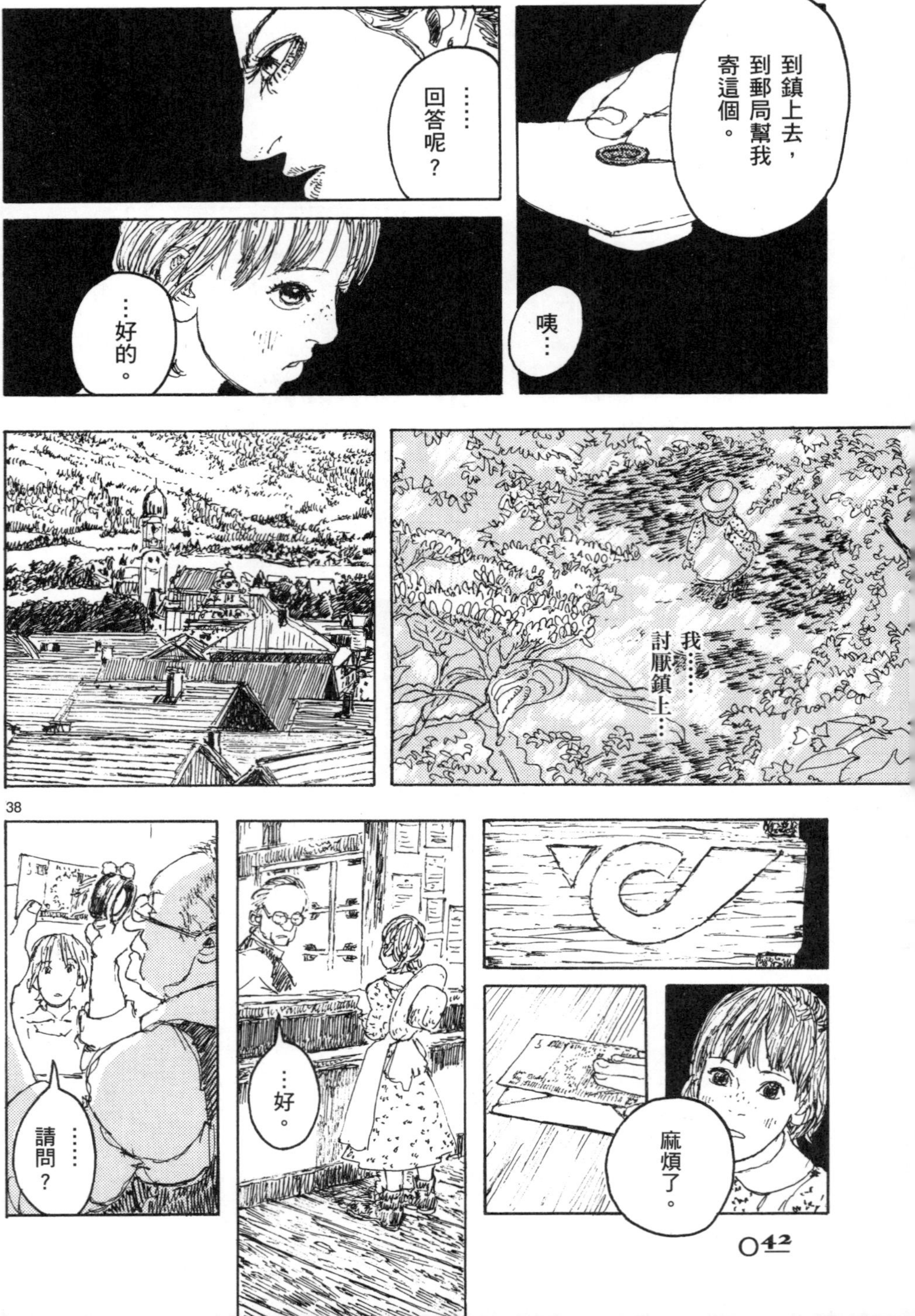

啊……沒事……
只是保險起見。
在確認是不是真鈔呢。
哎呀，那孩子……
叭ー
住在山上……
是「魔女之家」的……
……喘不過氣了……
一來到這裡，
毛孔像是全被蠟封住似的……
世界變得好遙遠……
啪
啊，打中了。
笨蛋！我是叫你瞄準玻璃啊。
快逃吧！

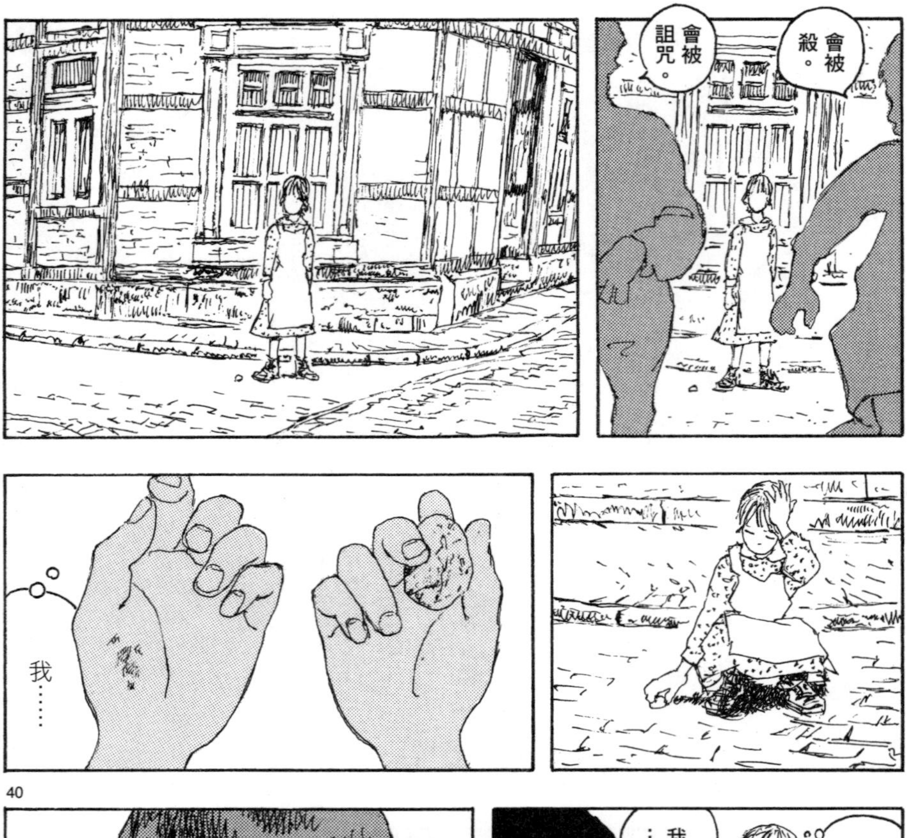
會被殺。
會被詛咒。
我……
40
要是沒來這裡……
我就不用……
讓我看看。
!
嗯。
是擦傷吧。

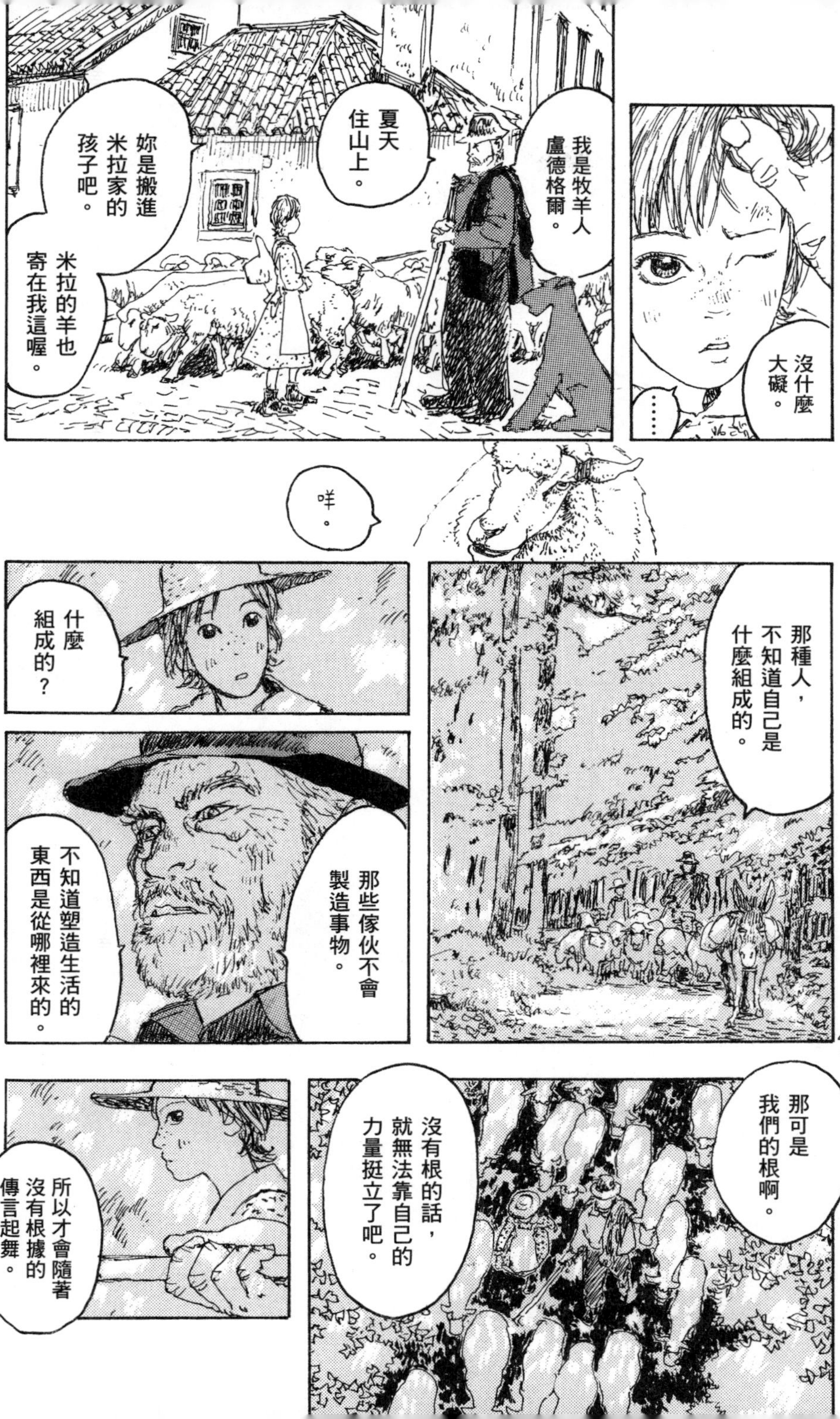
沒什麼大礙。
……
我是牧羊人盧德格爾。
夏天住山上。
妳是搬進米拉家的孩子吧。
米拉的羊也寄在我這喔。
咩。
那種人，不知道自己是什麼組成的。
什麼組成的？
那些傢伙不會製造事物。
不知道塑造生活的東西是從哪裡來的。
那可是我們的根啊。
沒有根的話，就無法靠自己的力量挺立了吧。
所以才會隨著沒有根據的傳言起舞。

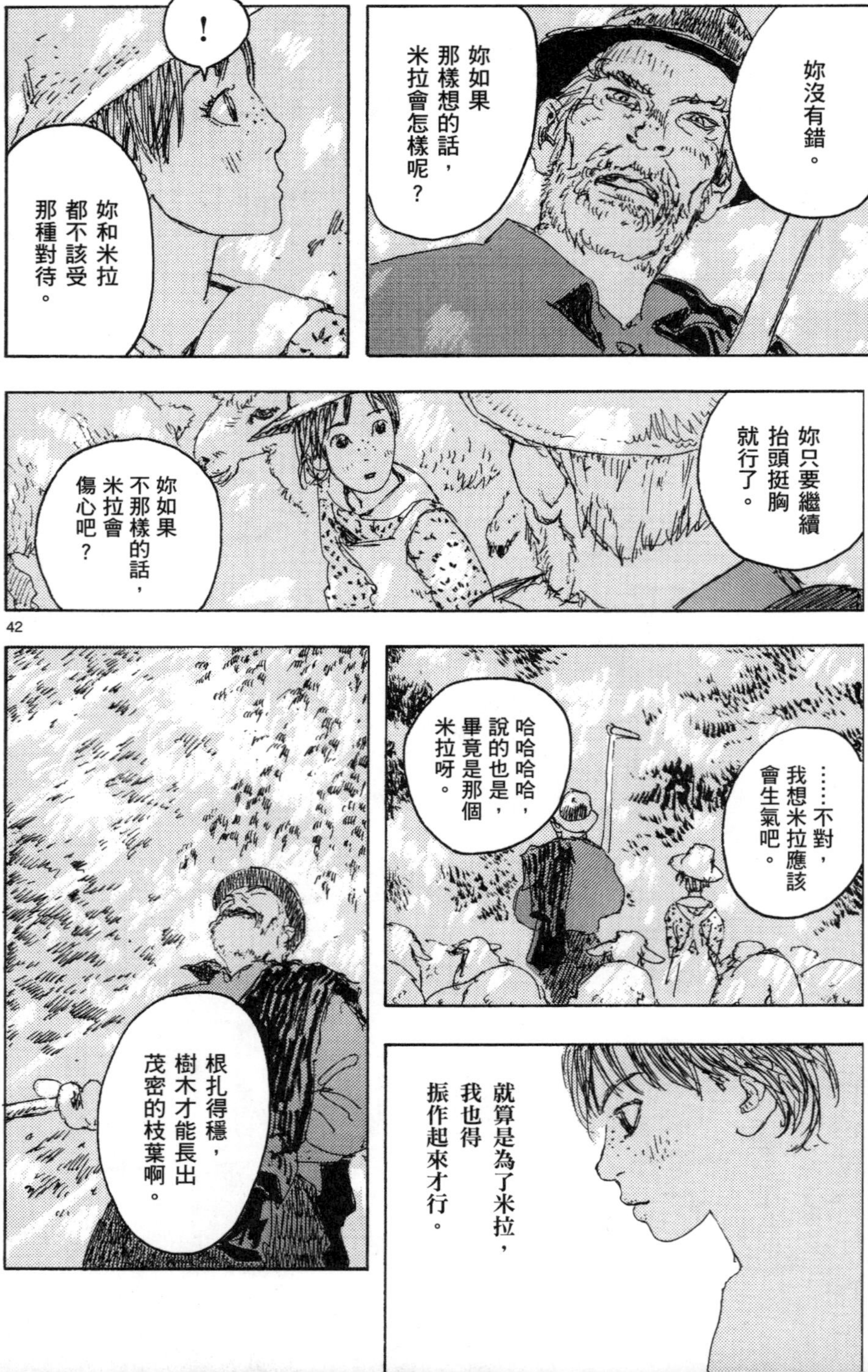
妳沒有錯。
妳如果那樣想的話，米拉會怎樣呢？
！
妳和米拉都不該受那種對待。
妳只要繼續抬頭挺胸就行了。
妳如果不那樣的話，米拉會傷心吧？
……不對，我想米拉應該會生氣吧。
哈哈哈哈，說的也是，畢竟是那個米拉呀。
根扎得穩，樹木才能長出茂密的枝葉啊。
就算是為了米拉，我也得振作起來才行。

十二月（當月）

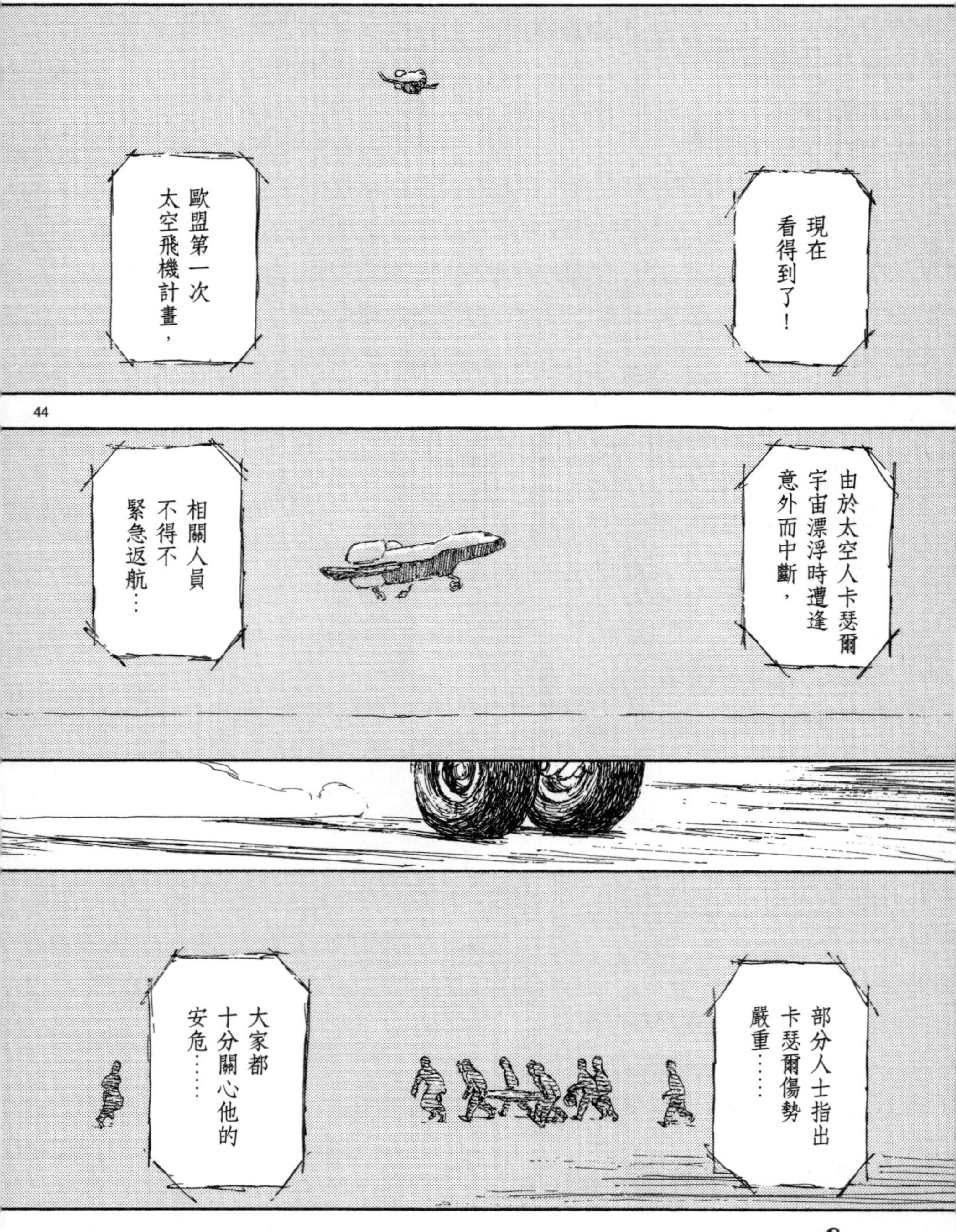
現在看得到了！
歐盟第一次太空飛機計畫，
由於太空人卡瑟爾宇宙漂浮時遭逢意外而中斷，
相關人員不得不緊急返航……
部分人士指出卡瑟爾傷勢嚴重……
大家都十分關心他的安危……

44

用醫療直升機運送。
我知道了。
撞上他的是隕石嗎？還是人造衛星的碎片？
東西埋進了頭部，無法確認。
小心點！
一、二、三！
什麼…
面罩在真空中破裂……
這樣的狀態下…不可能活命的…
但他的心跳和呼吸都還持續著！
總之快點啊！

嘰
嘰
嗯。

真美好的天空呢。
米拉。

是啊，維多神父。
關於「生殖之石」……
我希望可以盡量深入了解。
喔，看起來真好吃。
米拉做的德式蛋糕最棒了。
就像我在信中寫的，
我並沒有直接和「石頭」對話，所以我不了解它。
那請告訴我，妳寄出信之後的發現……
對不起，我聯絡得太晚了…
這樣說很像是在找藉口，
不過妳的信，我昨天才收到。
龐大又古老的組織，反應總是慢半拍呀。
不管怎麼說，你早點知道不代表你能做什麼啊。
妳卻還是寫信給我了。

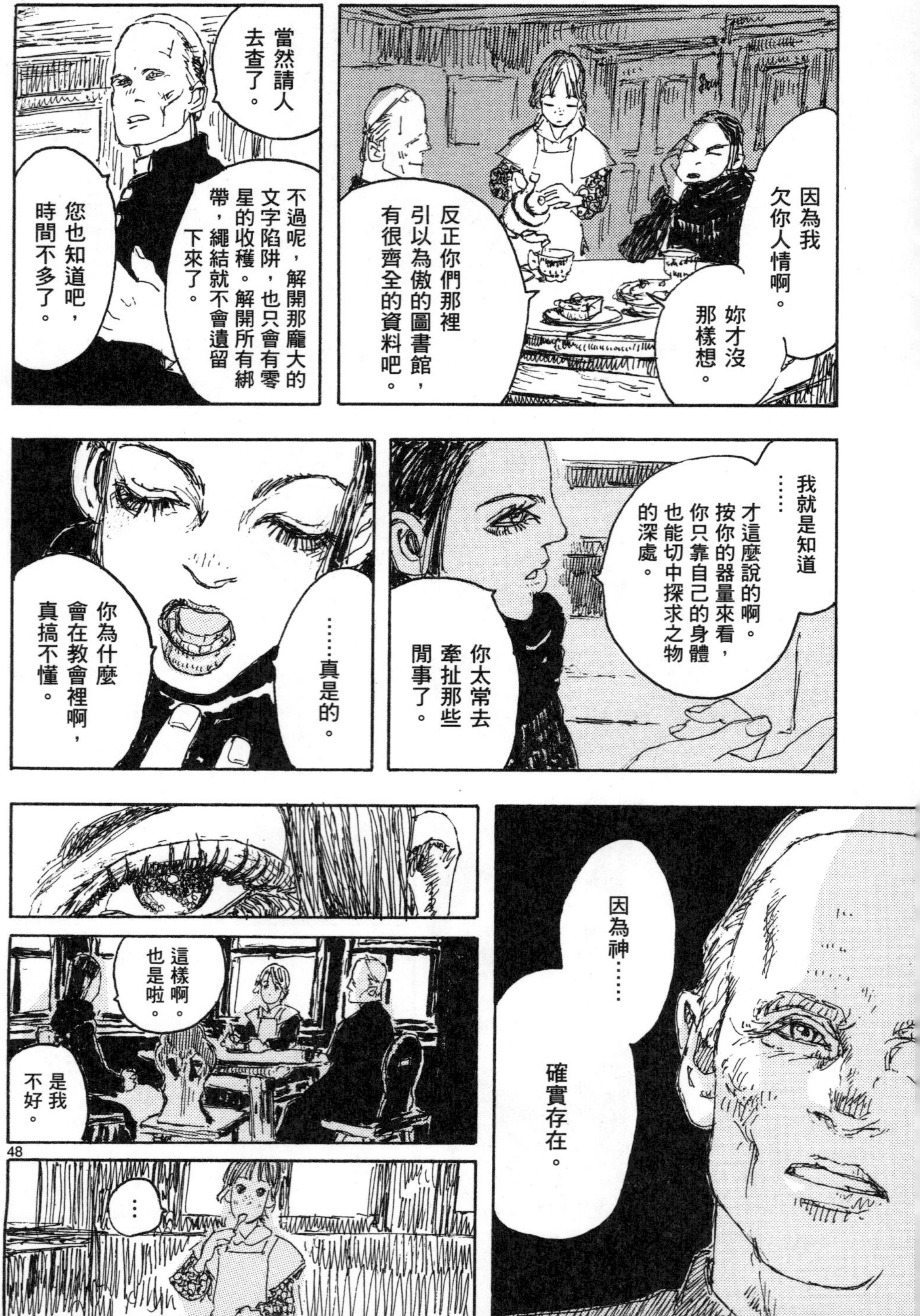
因為我欠你人情啊。
妳才沒那樣想。
反正你們那裡引以為傲的圖書館，有很齊全的資料吧。
當然請人去查了。
不過呢，解開那龐大的文字陷阱，也只會有零星的收穫。解開所有綁帶，繩結就不會遺留下來了。
您也知道吧，時間不多了。
我就是知道……才這麼說的啊。按你的器量來看，你只靠自己的身體也能切中探求之物的深處。
你太常去牽扯那些閒事了。
……真是的。
你為什麼會在教會裡啊，真搞不懂。
因為神……
確實存在。
這樣啊。也是啦。
是我不好。
…

借艾莉西亞的話來說，「生殖之石」擁有的力量，
「可以使死去的東西重生為不同形狀的生物。」
咦……那是在說麵種……
艾莉西亞。
誕生於遙遠異地的言語，是有可能被妳講述出來的。
預兆並不總是由他人捎來的喔。
世界各地都有人類受造自泥土或石頭的起源神話。
我不至於認為「生殖之石」是生命的種子，但它恐怕……

49

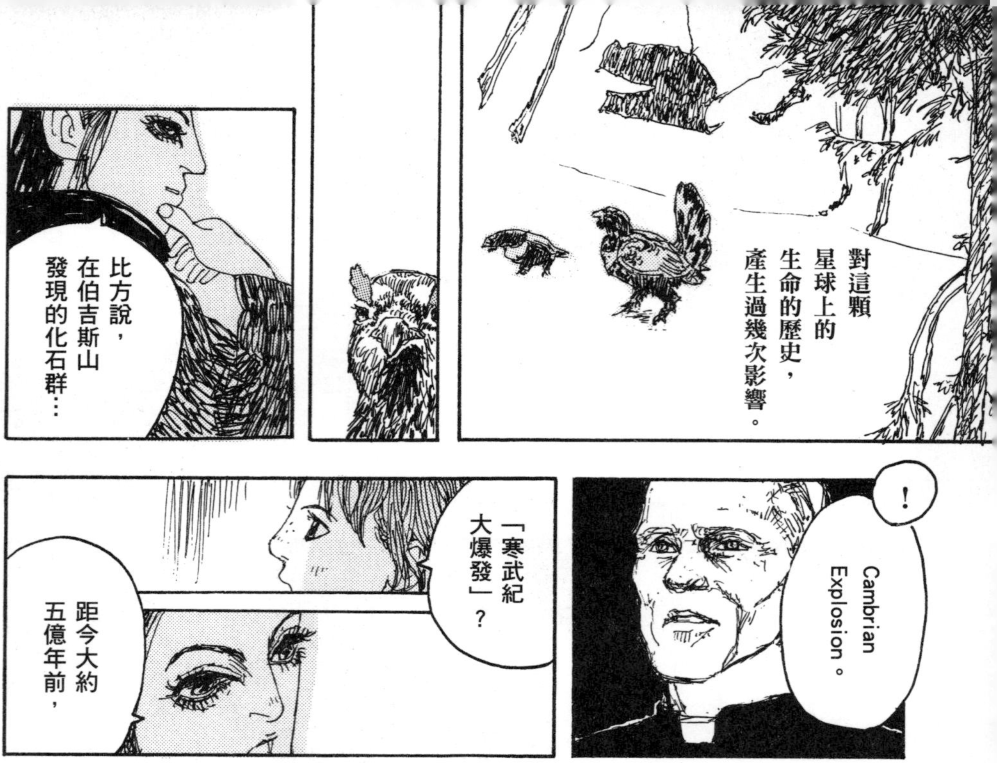
對這顆星球上的生命的歷史，產生過幾次影響。
比方說，在伯吉斯山發現的化石群…
！
Cambrian Explosion。
「寒武紀大爆發」？
距今大約五億年前，

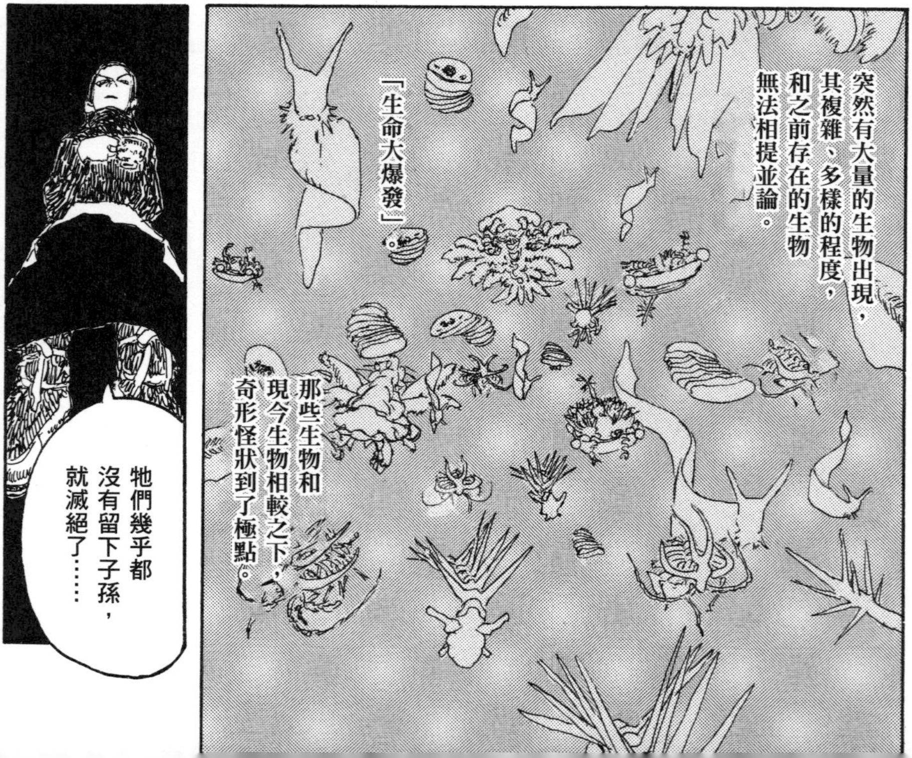
突然有大量的生物出現，其複雜、多樣的程度，和之前存在的生物無法相提並論。
「生命大爆發」
那些生物和現今生物相較之下，奇形怪狀到了極點。
牠們幾乎都沒有留下子孫，就滅絕了……

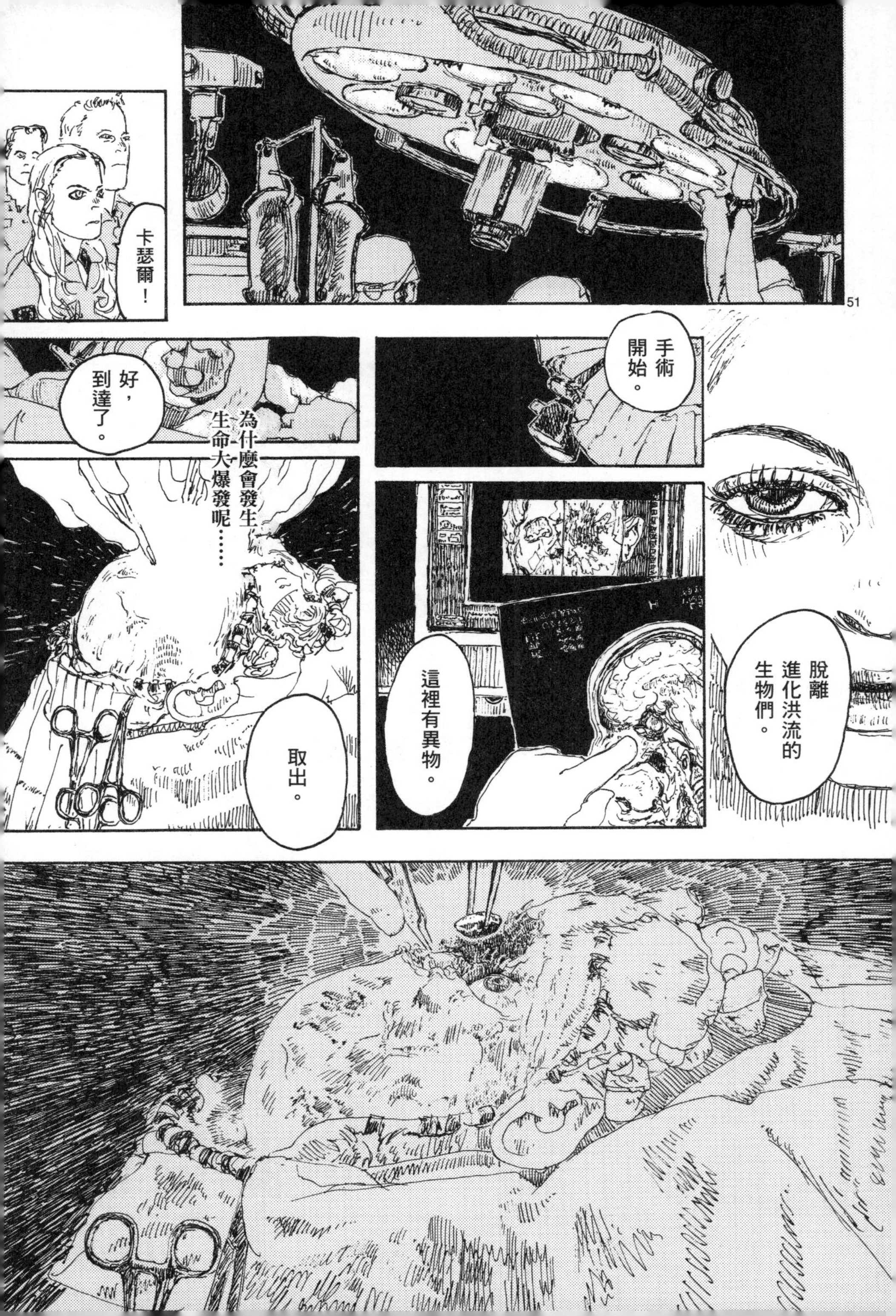
卡瑟爾！
手術開始。
好，到達了。
為什麼會發生生命大爆發呢……
脫離進化洪流的生物們。
這裡有異物。
取出。

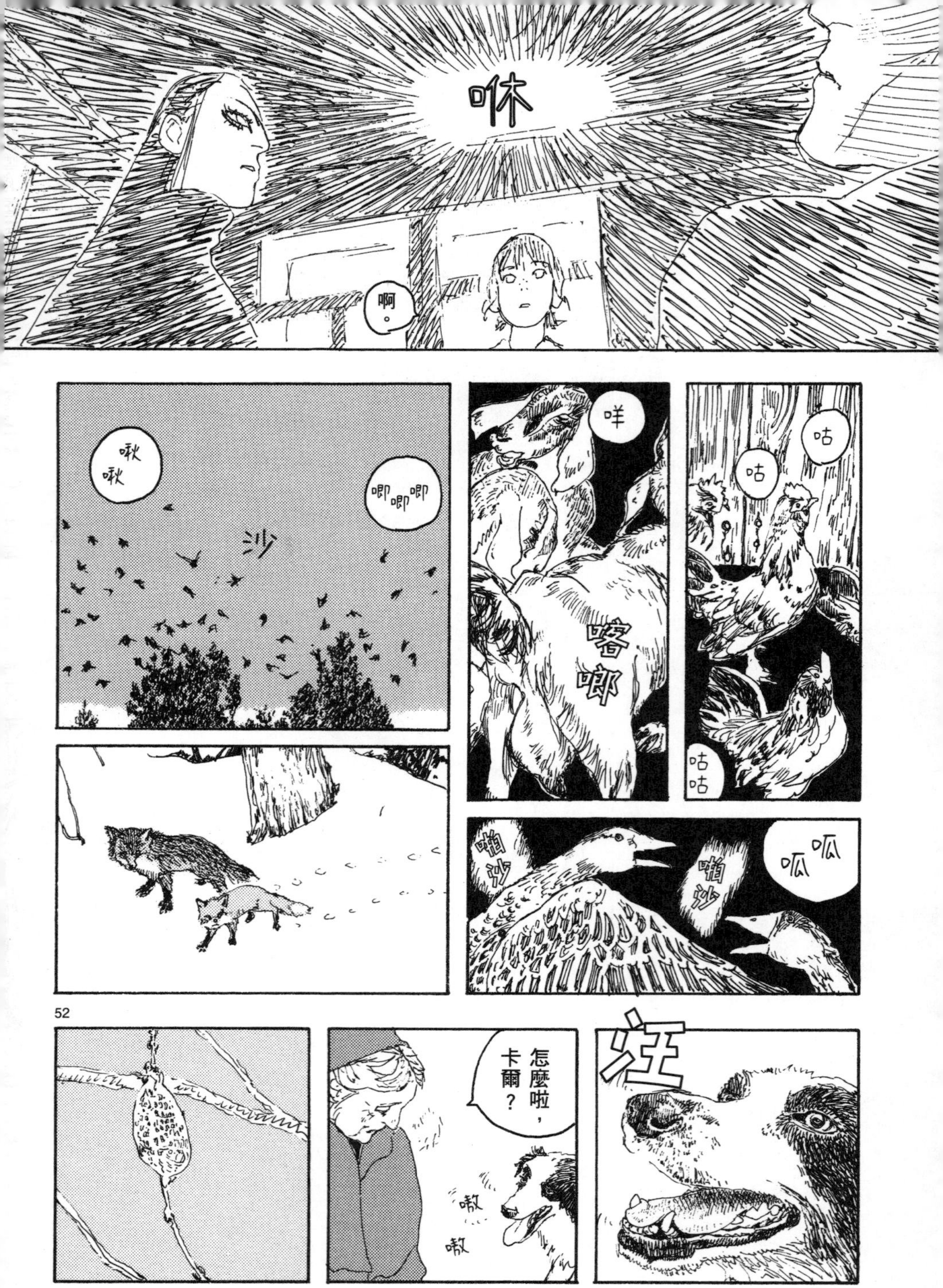

52

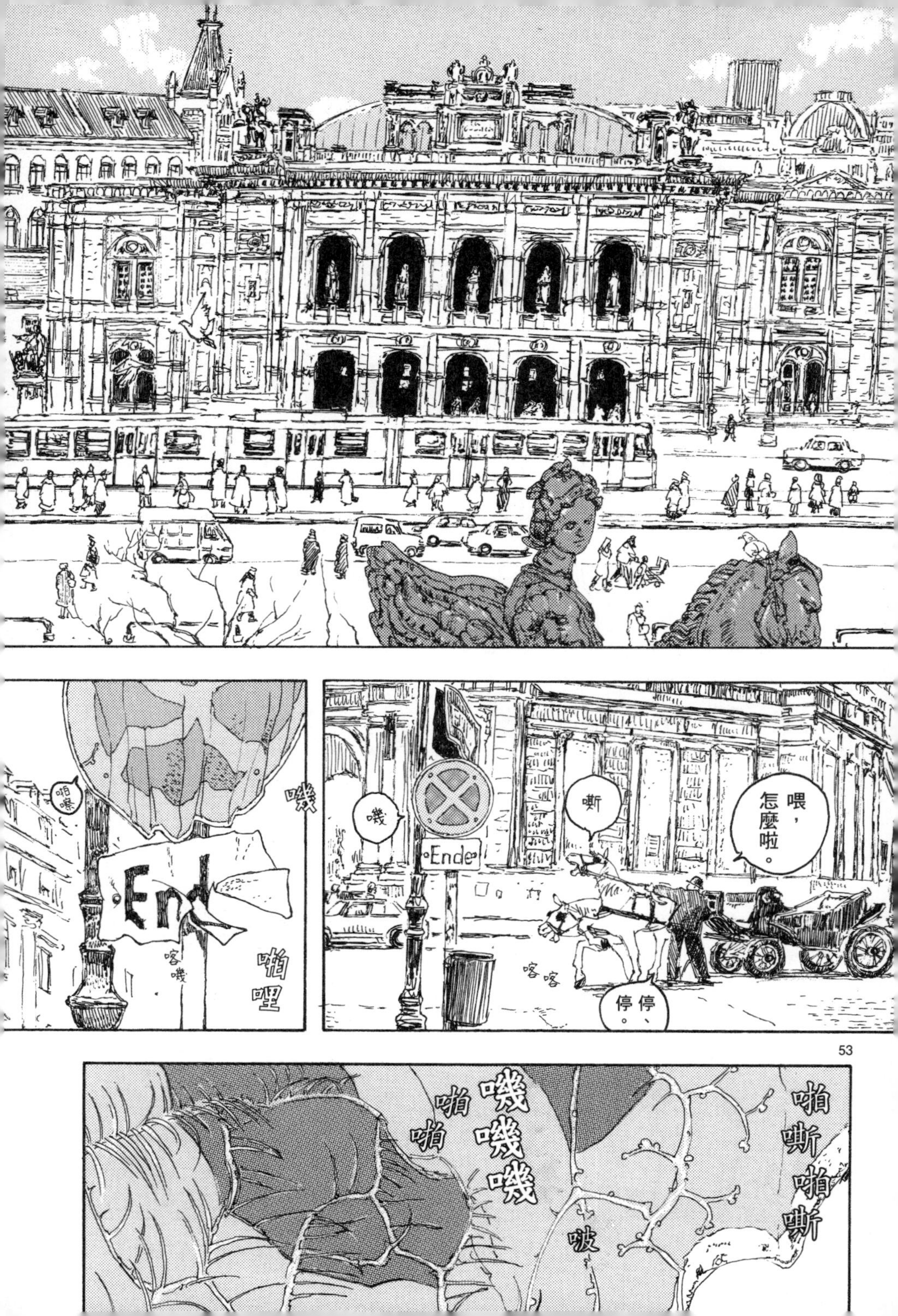

喂，怎麼啦。
嘶
嘰
Ende
喀喀
停、停。
嘰
啪嚓
End
喀嘰
啪哩
啪嘶啪嘶
嘰嘰嘰
啪啪
啵

54

噗通
嗝
啪嚓

剛剛那是…
「石頭」似乎覺醒了呢。

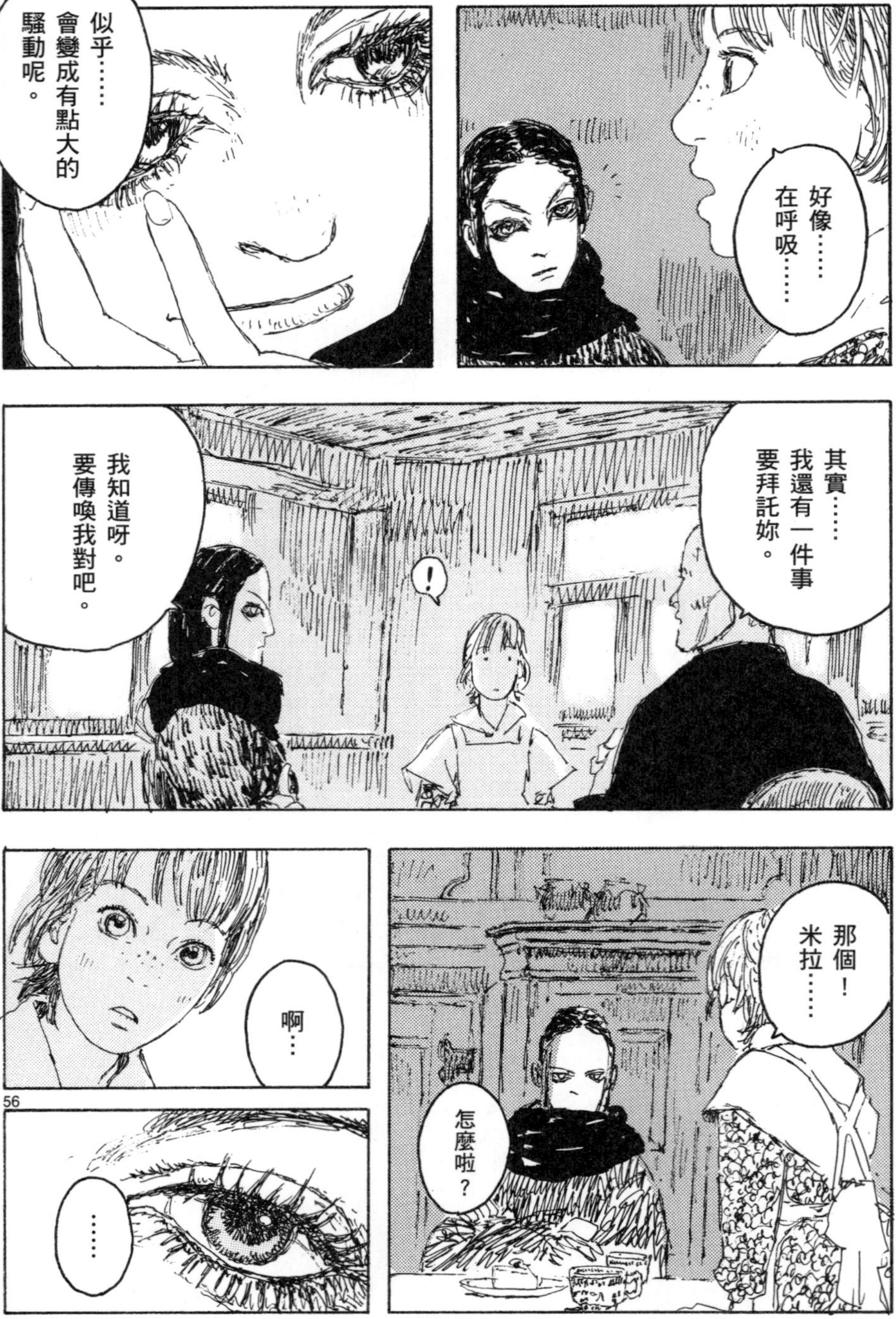
好像……在呼吸……
似乎……會變成有點大的騷動呢。
其實……我還有一件事要拜託妳。
!
我知道呀。要傳喚我對吧。
那個！米拉……
怎麼啦？
啊……
……

56

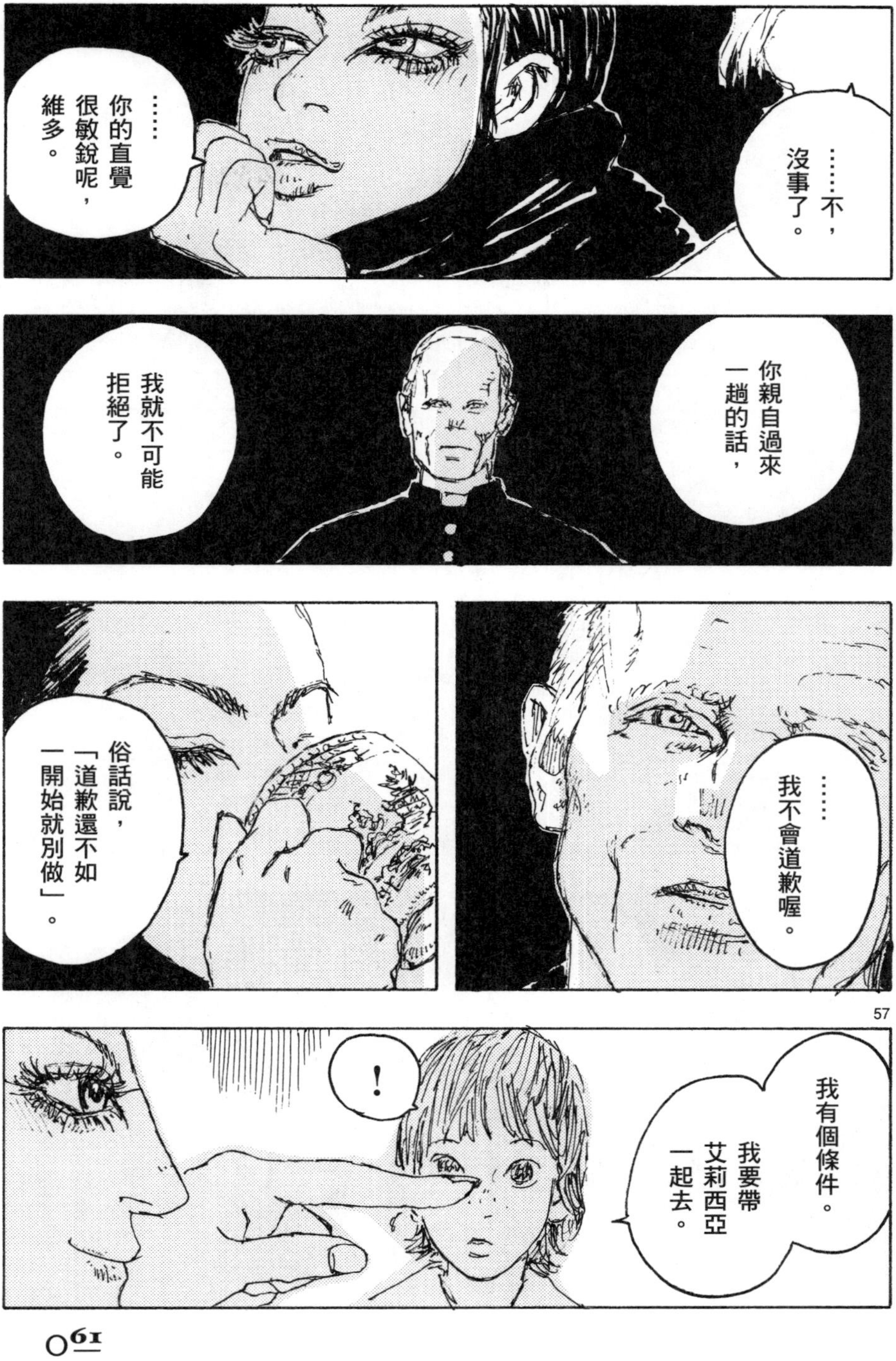
……不，沒事了。
……你的直覺很敏銳呢，維多。
你親自過來一趟的話，
我就不可能拒絕了。
……我不會道歉喔。
俗話說，「道歉還不如一開始就別做」。
我有個條件。
我要帶艾莉西亞一起去。
!

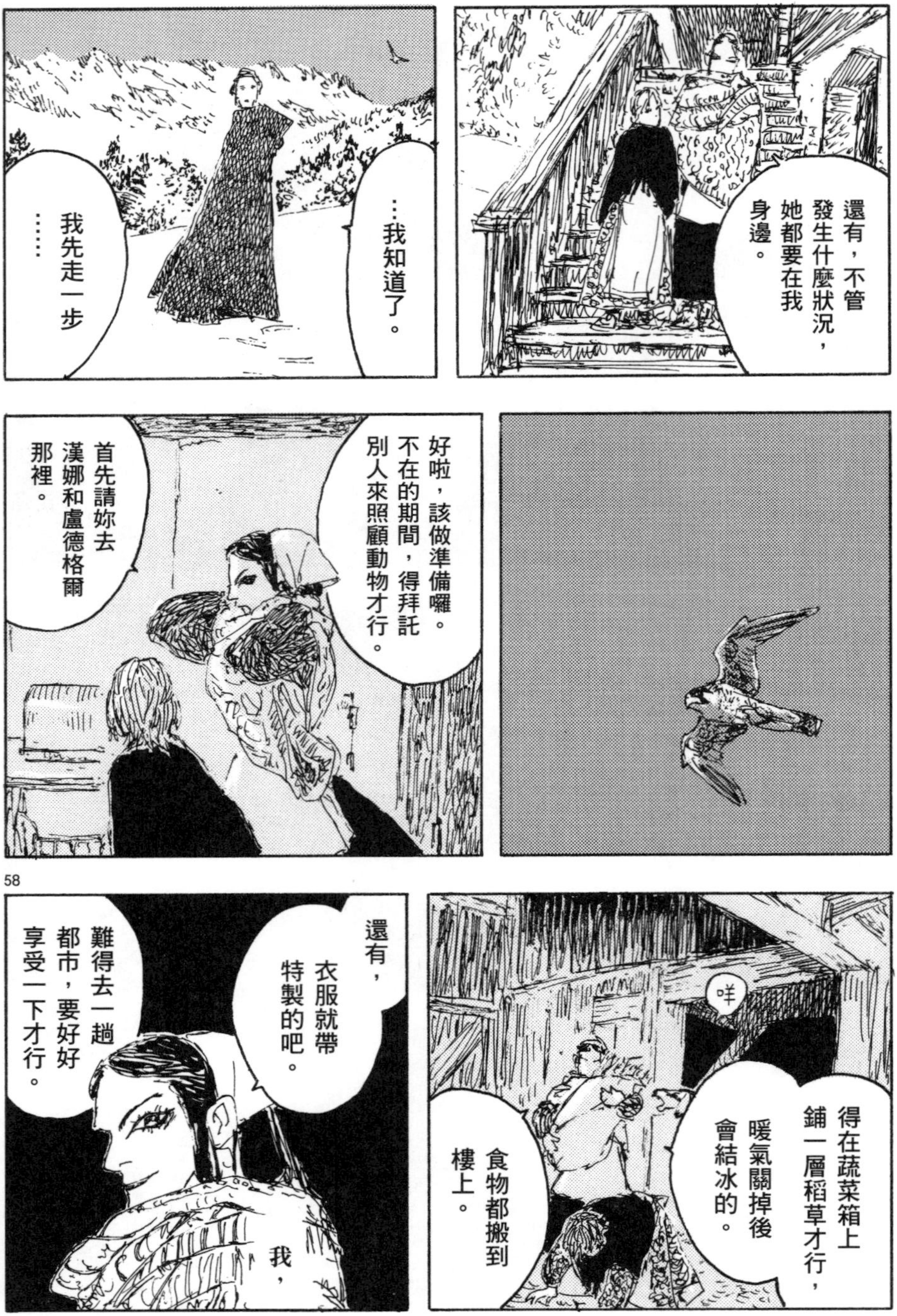
還有，不管發生什麼狀況，她都要在我身邊。
……我知道了。
我先走一步……
好啦，該做準備囉。不在的期間，得拜託別人來照顧動物才行。
首先請妳去漢娜和盧德格爾那裡。
咩
得在蔬菜箱上鋪一層稻草才行，暖氣關掉後會結冰的。
食物都搬到樓上。
還有，衣服就帶特製的吧。
難得去一趟都市，要好好享受一下才行。
我，

58

剛剛好想對
米拉說，
不要去比較好。
沙
因為有個預感，
去了這趟會失去
重要的事物……
我好害怕。

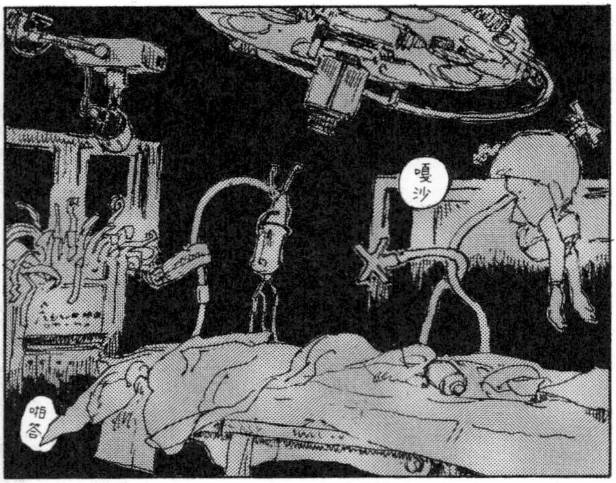
嘎沙
啪答

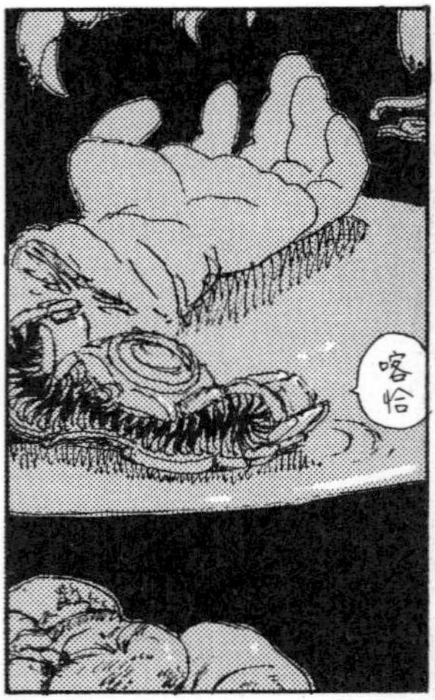
喀恰

60

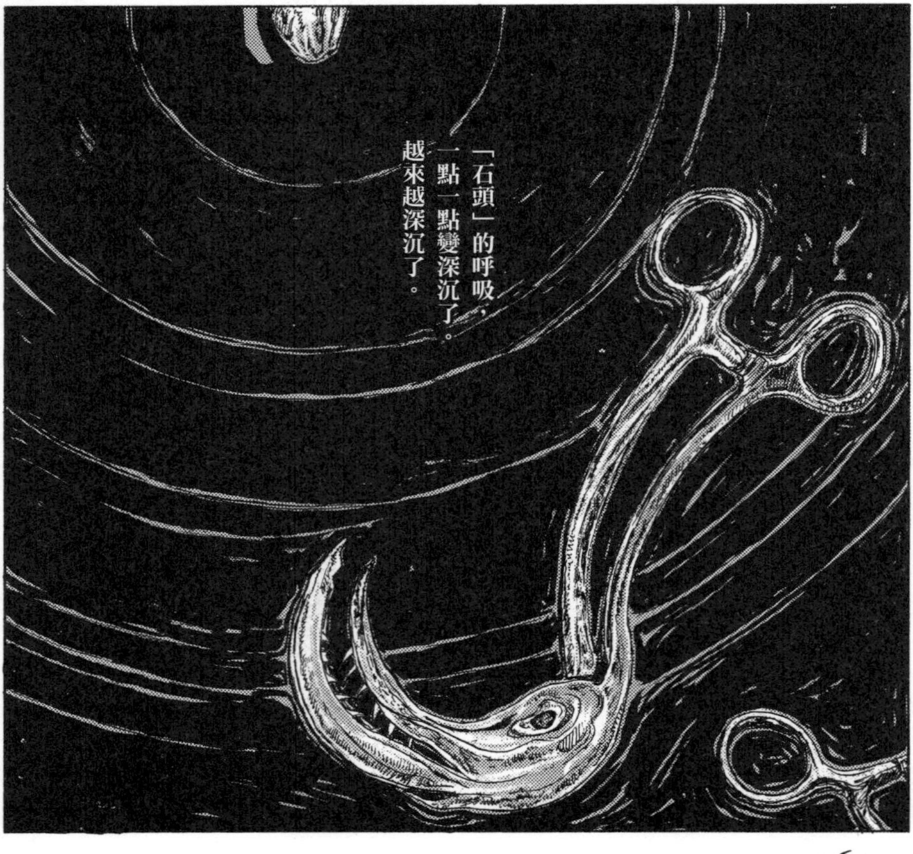
「石頭」的呼吸，
一點一點變深沉了。
越來越深沉了。

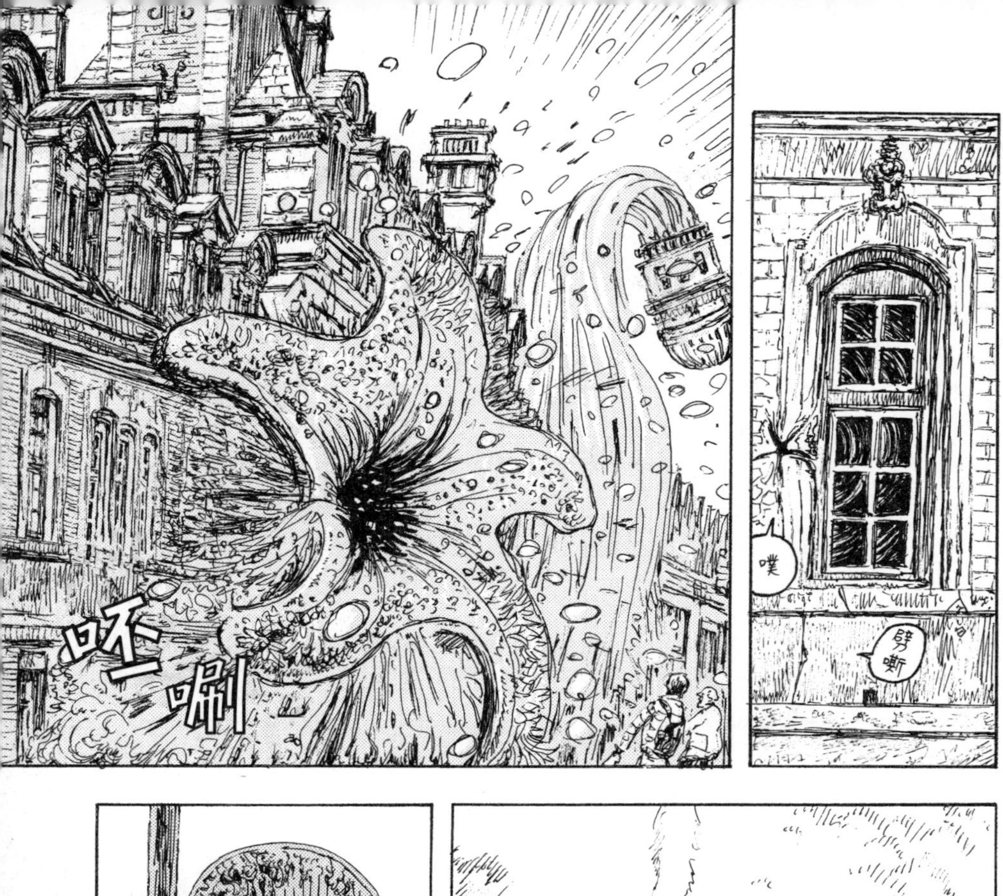

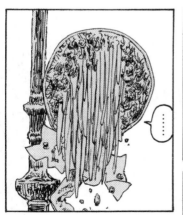

61

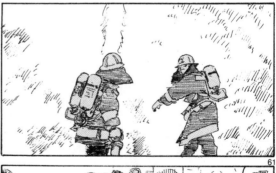

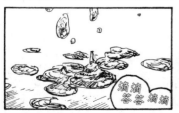

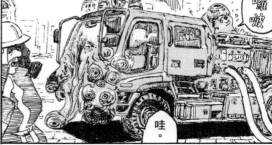

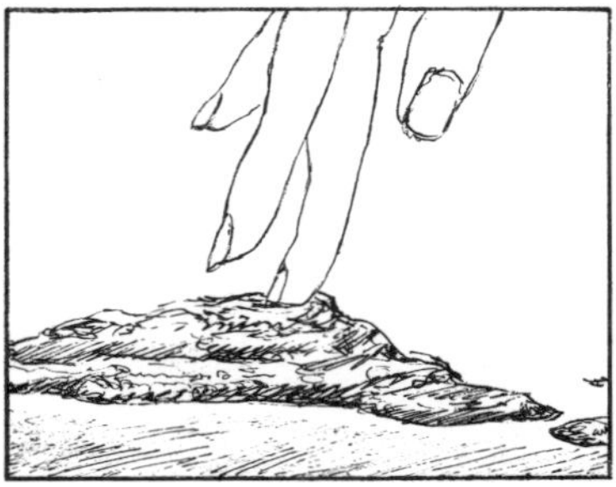

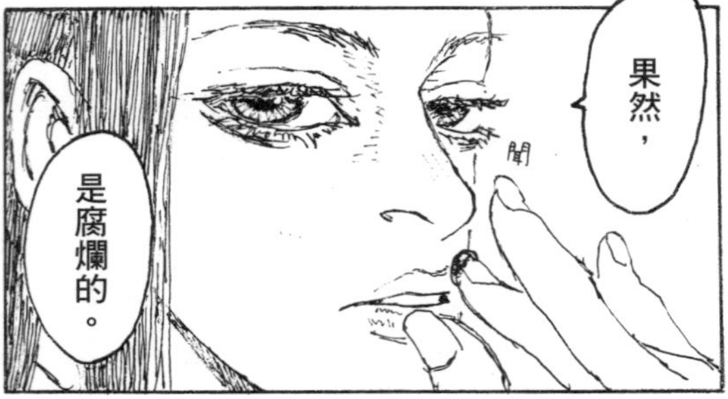
果然，
是腐爛的。

整座城市都逐漸變成屍體了……
靠「石頭」的力量胡亂誕生的生命，
幾乎都沒有「持續存活」的能力。

滋答
呼
呼
比原本想的還溫暖吧。
哩哩哩哩
因為屍體腐爛，散發著熱度和氣體啊。
看，穿迷你裙是正確的吧。
我喜歡做這種可愛的衣服，
但不適合穿它們。
穿在艾莉西亞身上就很搭，真開心。
咚
可是米拉，漢娜說讓腰冷到不好。
咦。
…艾莉西亞……
妳以為自己幾歲啊……
啪沙
啪沙
啪沙
嘎ー

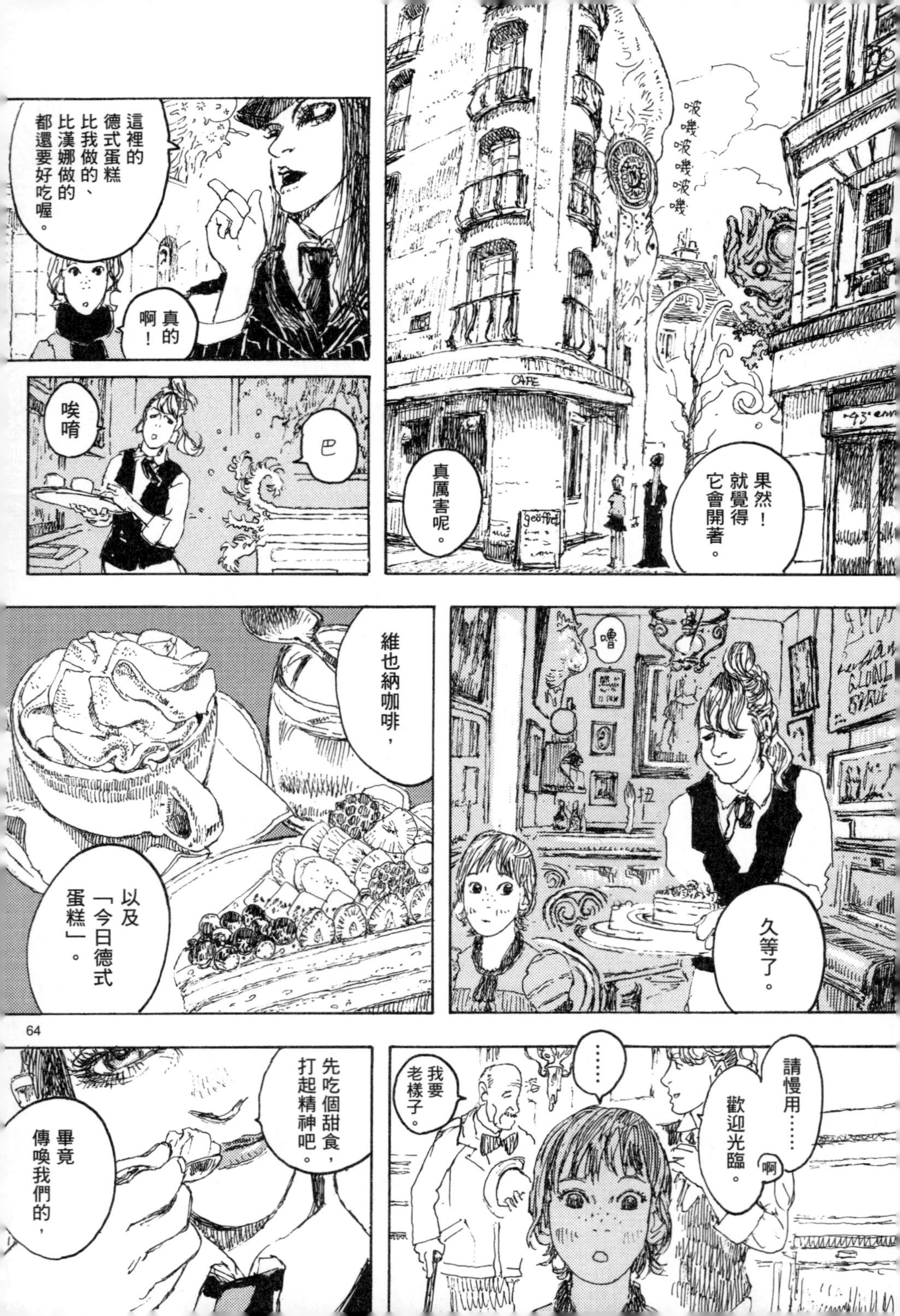
啵嘰啵嘰啵嘰
果然！就覺得它會開著。
真厲害呢。
這裡的德式蛋糕比我做的、比漢娜做的都還要好吃喔。
真的啊！
巴
唉啨
嚕
扭
久等了。
維也納咖啡，
以及「今日德式蛋糕」。
請慢用……
歡迎光臨。
啊
……
我要老樣子。
先吃個甜食，打起精神吧。
畢竟傳喚我們的，

是真的……
很令人不愉快的一票人……
在家裡吃不到那樣的東西對吧？
德式蛋糕非常好吃吧？
嗯…可是啊，米拉……
哎呀。
我恭候多時了……

所有石頭，都有各自的固有性質。
然後呢，它們偶爾會潛藏著超常的力量。
不過，若要那力量顯現，非得先湊齊該石頭喜好或討厭的條件才行。
比方說，在這星球上毫無異狀的石頭，
若被帶到其他星球去，也可能發揮莫大的力量。

「生殖之石」則相反。
它只能在這顆星球的環境下發揮力量。

嗯，不過我並沒有進行過實驗，這只是推測。
那麼，要阻止災厄繼續蔓延，只要改變妳說的什麼條件就行了吧。
比方說，將「石頭」裝到密封的真空箱子裡之類的。
氧氣不一定是條件。
也可能是溫度或重力，
也可能是複合的因素，某種氣息之類的。比方說氣味。
太荒唐了！話說回來，那個女人為什麼會在這裡！
這討論已經大肆進行過了吧。事到如今才……
那，妳認為該怎麼辦呢？

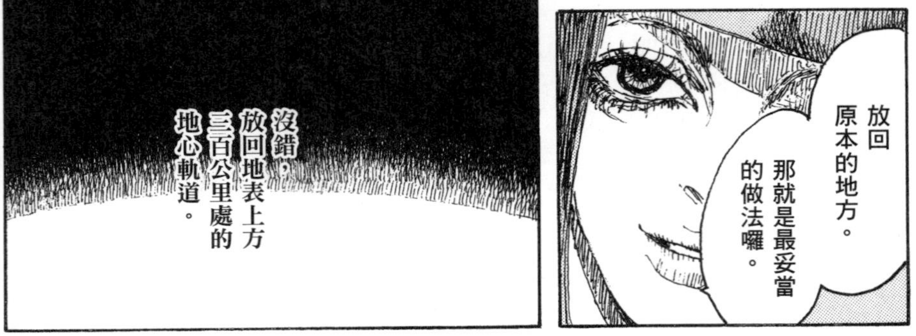
放回原本的地方。
那就是最妥當的做法囉。
沒錯，放回地表上方三百公里處的地心軌道。

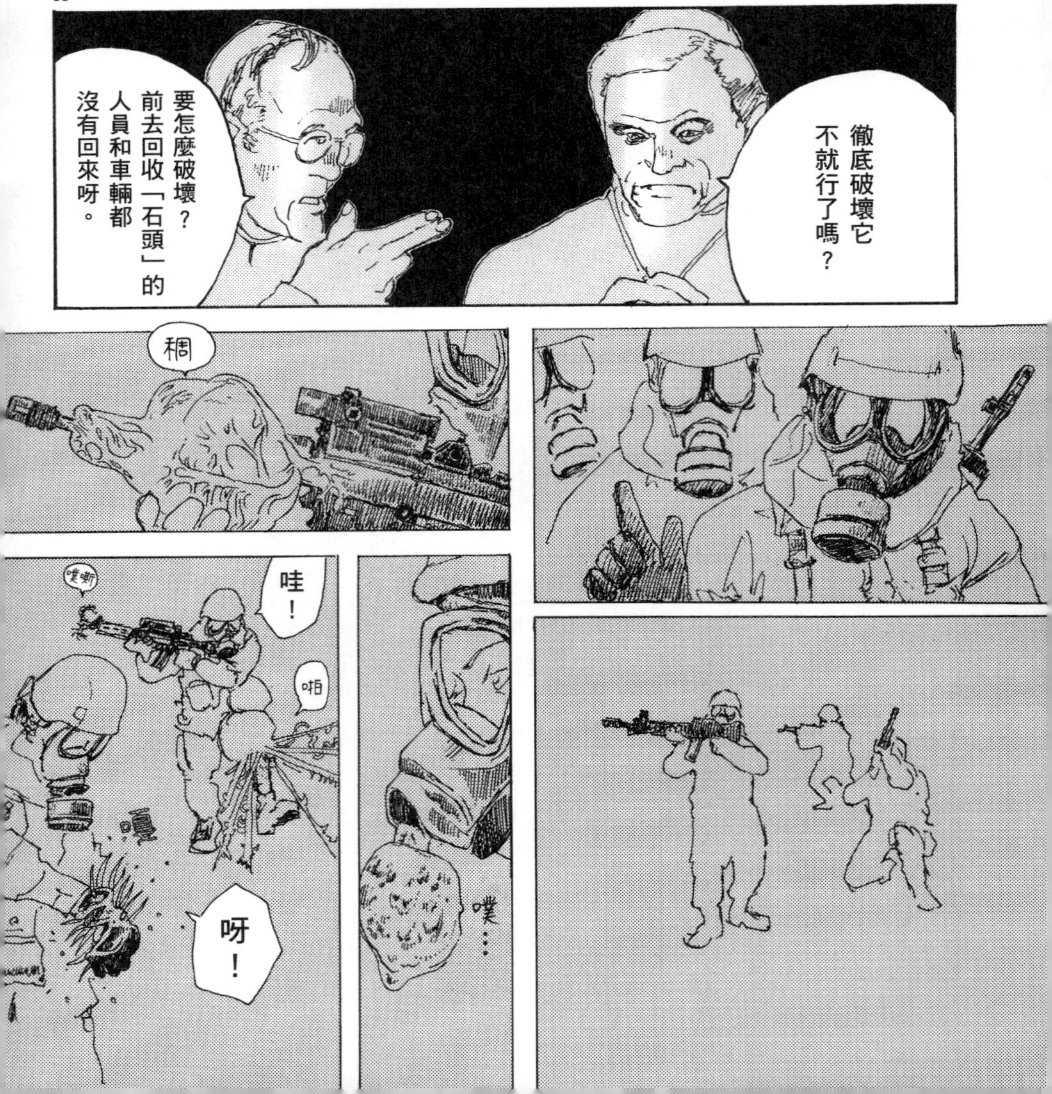
徹底破壞它不就行了嗎？
要怎麼破壞？前去回收「石頭」的人員和車輛都沒有回來呀。
稠
哇！
啪
嘎
呀！
噗…

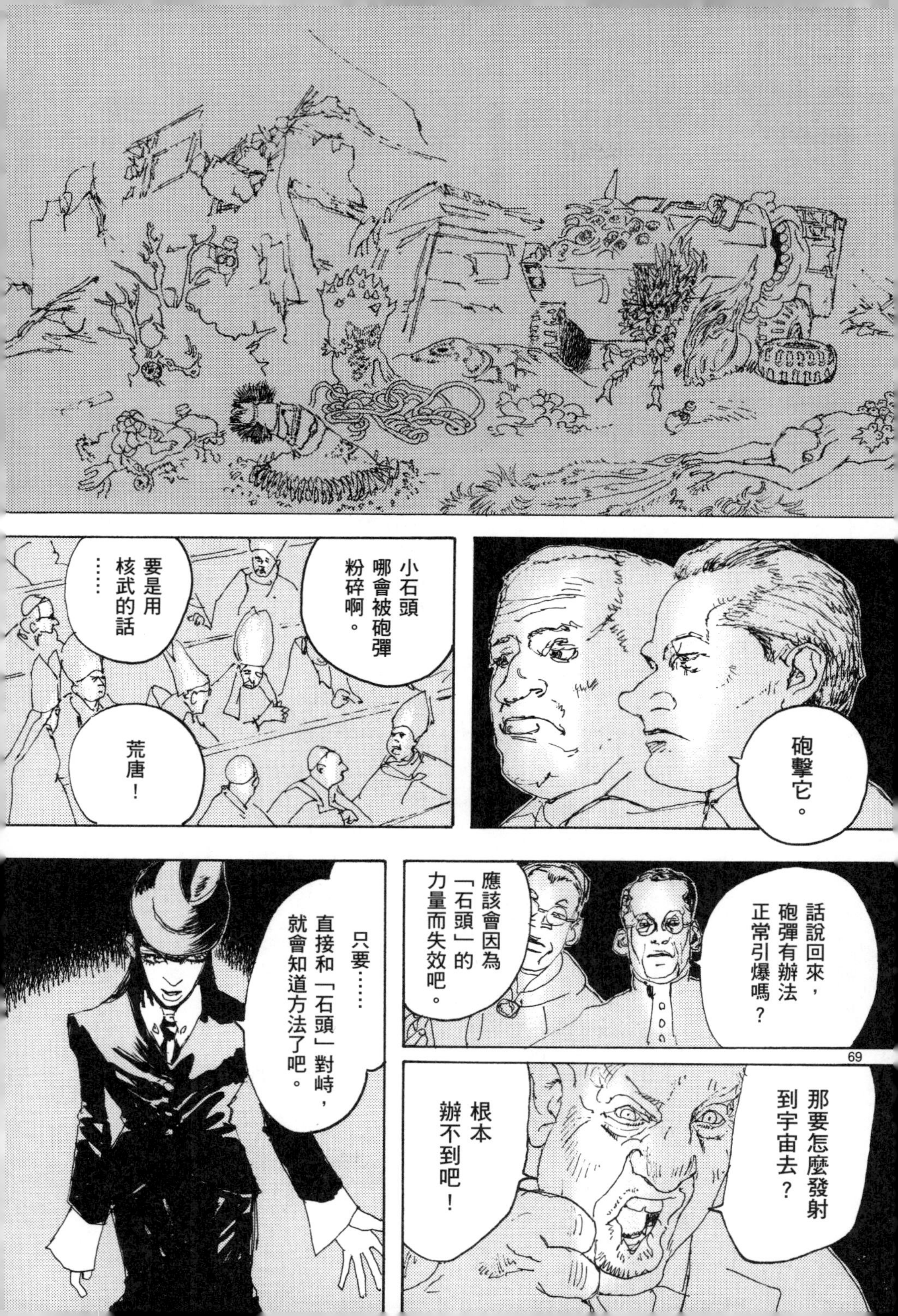
砲擊它。
小石頭哪會被砲彈粉碎啊。
要是用核武的話……
荒唐！
話說回來，砲彈有辦法正常引爆嗎？
應該會因為「石頭」的力量而失效吧。
那要怎麼發射到宇宙去？
根本辦不到吧！
只要……
直接和「石頭」對峙，就會知道方法了吧。

你說話有根據嗎！
真隨便啊！
敷衍了事的花招，是唬不住我們的喔。
我說呀，
不讓自己暴露在危險中的人，說話就謹慎點。
看了真覺得丟臉啊。
妳才該管好嘴巴！
妳以為自己是誰啊！
哎呀⋯

從你們的立場來看，
我是連結兩個世界的存在。
我在有語言的世界，以及無語言的世界之間。

你們的世界是「有限」。
我們的世界是「無限」。
你們的語言，是將各色各樣的可能性切割為特定性質的刀子。
是細分世界以圖自身方便的工具。
而我們只看世界原本的模樣。
我們通曉語言，但也能夠捨棄語言。

魔女隨時都與無限相繫，
有限的你們，是無法加以掌握的。
雖然所有存在，曾經都處在無限的領域呢。
真是褻瀆……
太可怕了……
多麼無恥啊……
不管怎麼說，你們都已經決定讓我們試試了吧。
如果是的話！

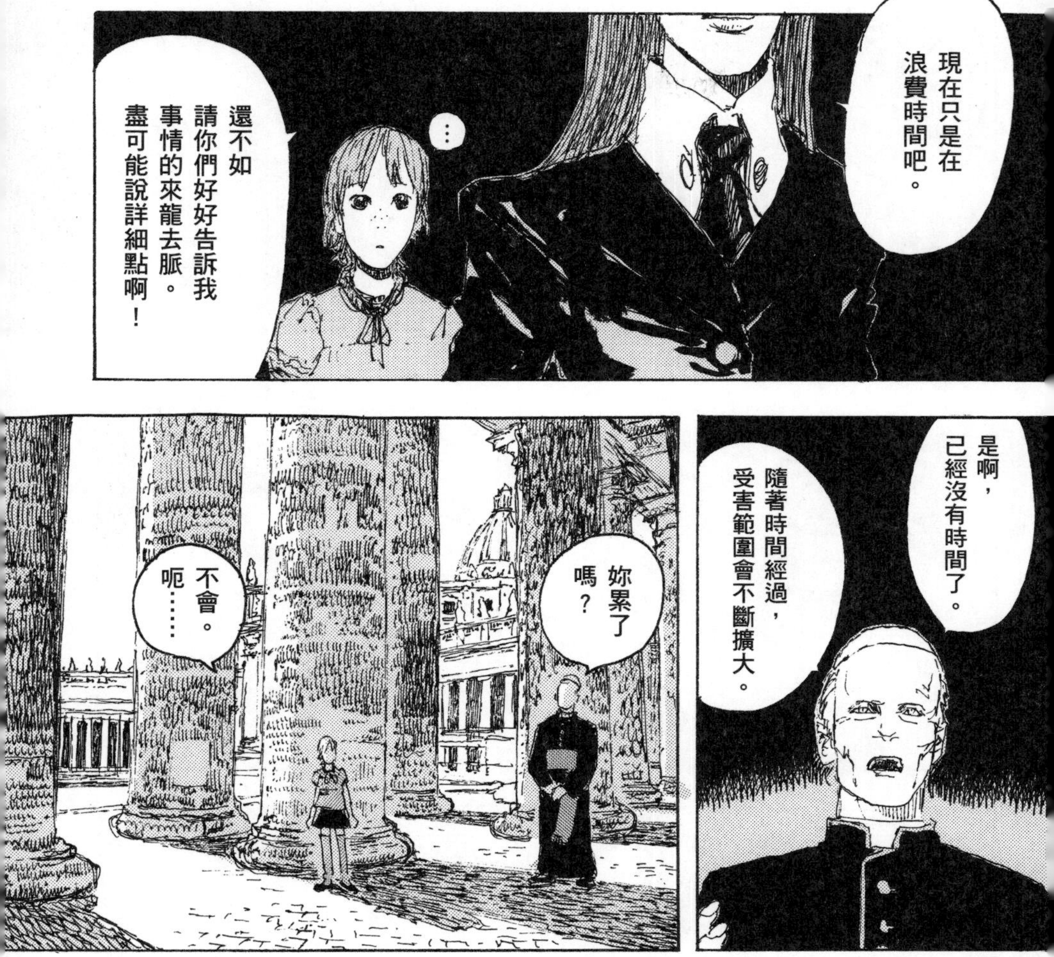
現在只是在浪費時間吧。
……
還不如請你們好好告訴我事情的來龍去脈。盡可能說詳細點啊！
是啊，已經沒有時間了。
隨著時間經過，受害範圍會不斷擴大。
妳累了嗎？
不會。呃……

73

米拉剛剛好像不是在對那些人說話，
而是想要向我傳達那些道理…
妳發現了嗎？
置身在那樣的惡意之中，真虧妳忍耐得住呢。感覺像是毛孔塞住了吧。

呃，維多先生也接受過米拉的指導嗎？
是的。
在很久以前……
對了，
我聽說，就算是最快能發射的火箭，
準備時間也要花上一週。
這麼久啊……
那樣……來得及嗎？
……我不知道。
好啦！
要去「生殖之石」那邊囉。

74

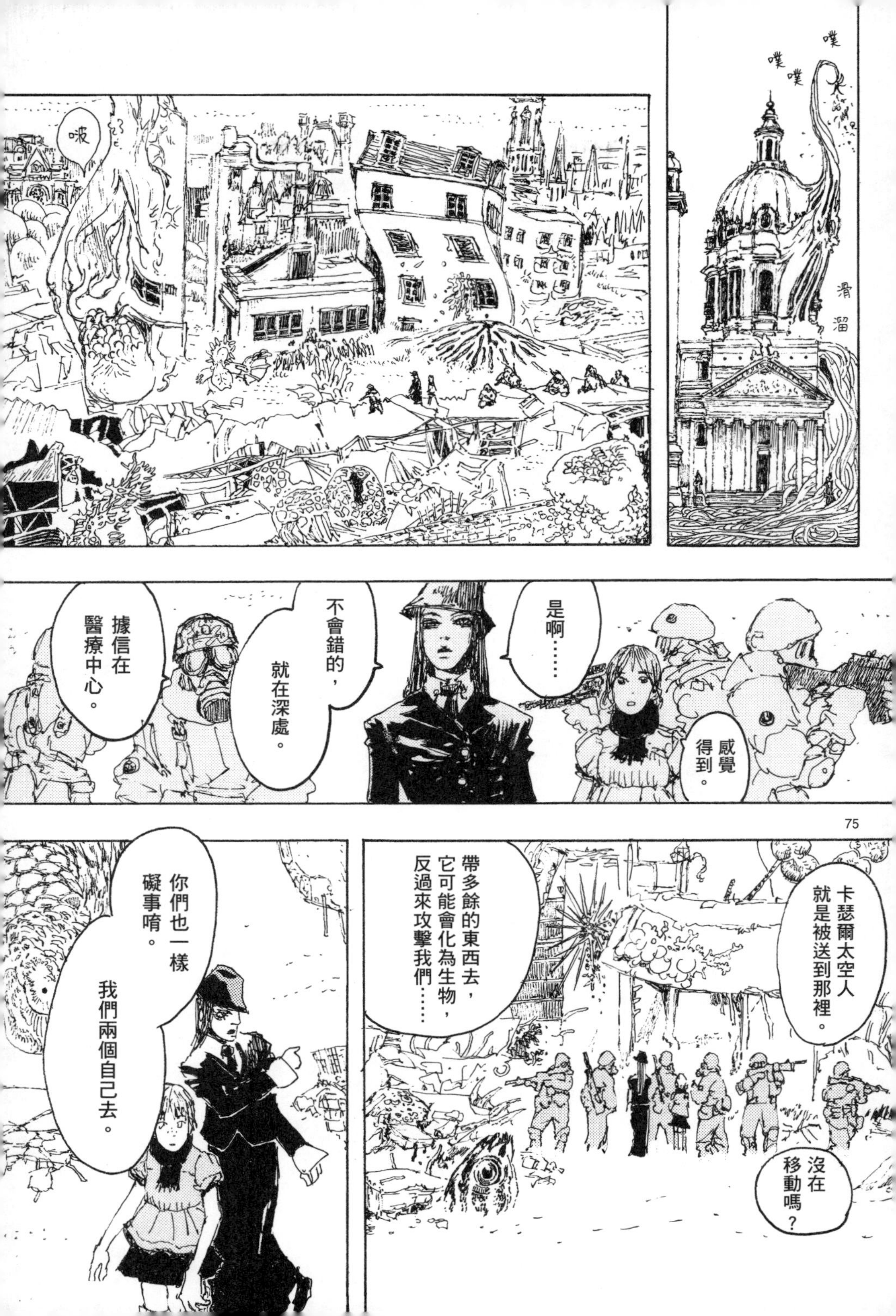
噗
噗
噗
滑溜
啵
感覺得到。
是啊……
不會錯的，就在深處。
據信在醫療中心。
卡瑟爾太空人就是被送到那裡。
沒在移動嗎？
帶多餘的東西去，它可能會化為生物，反過來攻擊我們……
你們也一樣礙事唷。
我們兩個自己去。

75

咕喳
所謂的生物進化，
也許就像一場比賽吧，比誰可以游到這片屍體之海的盡頭。
頭好痛……
不是腐臭害的吧。是「石頭」力量的密度，
已經高到幾乎要壓垮妳了。
在這裡等著吧。
我自己一個人過去。
米拉！

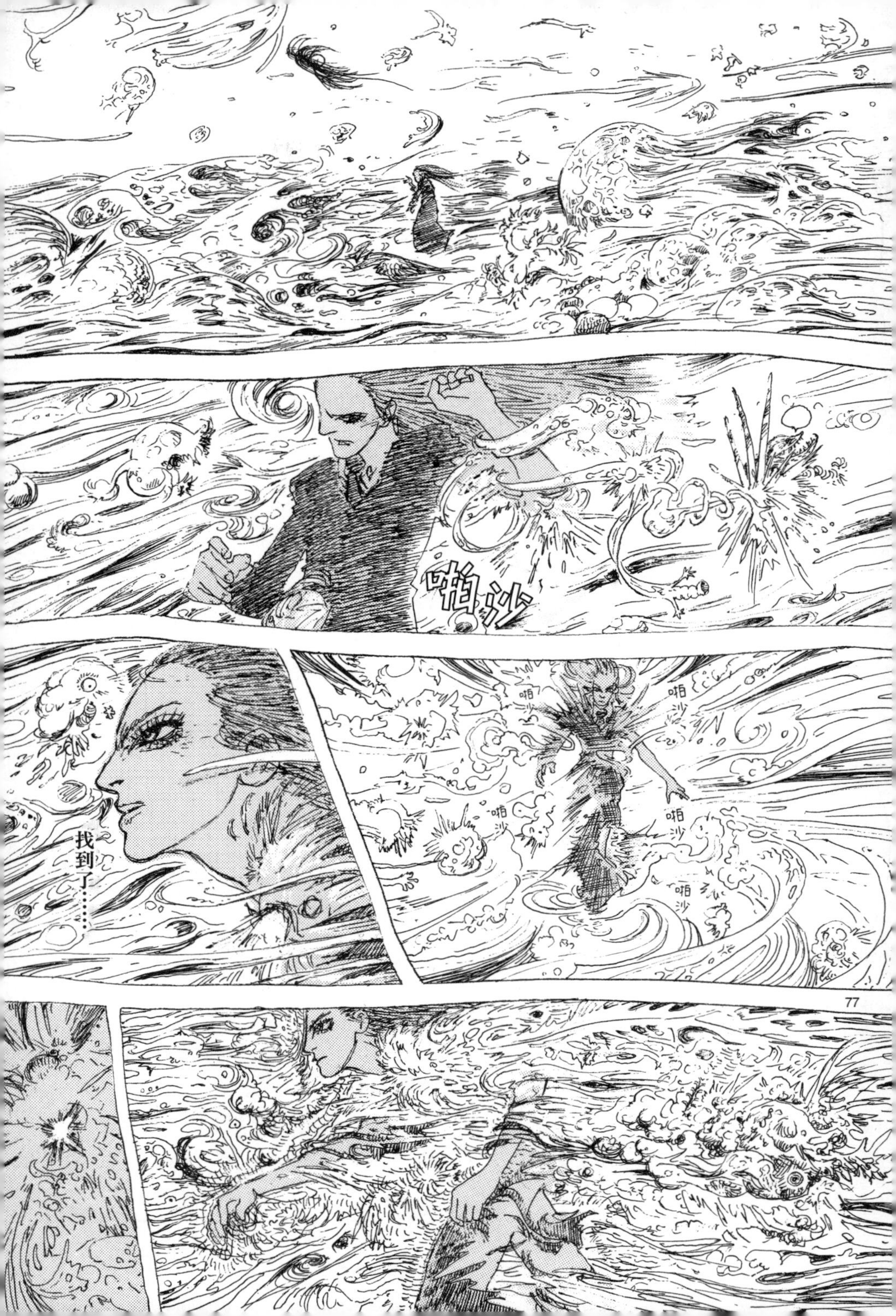
啪沙
啪沙
啪沙
啪沙
啪沙
啪沙
找到了……

78

米拉！
米拉！
艾莉西亞。
肚子！
妳把石頭……放進肚子裡了吧？
為什麼？
因為「石頭」在卡瑟爾太空人體內時，並沒有發揮力量啊。

生命之力，可用生命之力封印。
就是這麼一回事吧。
因此，得在我的生命到達盡頭前把它送走才行。
為什麼……
為什麼一定要聽那些人的話呢！
米拉根本沒必要弄成這樣啊……
這場災厄會平等地降臨到所有人身上。
它不會特地閃開漢娜，或盧德格爾，或妳喔。
有的人在珍愛之人遭逢不幸時會想得很開，接受自己的無能為力。妳喜歡得了這種人嗎？
可是…為什麼是米拉…我再怎麼想都…
艾莉西亞。

「魔女」不思考，
魔女・・・就只是知曉喔。
知曉自己該做什麼。
再說，妳不認識的人之中，也有很多應當要得救的人喔。
…沒時間了……
有一架火箭立刻就能發射。

請妳……帶我過去。

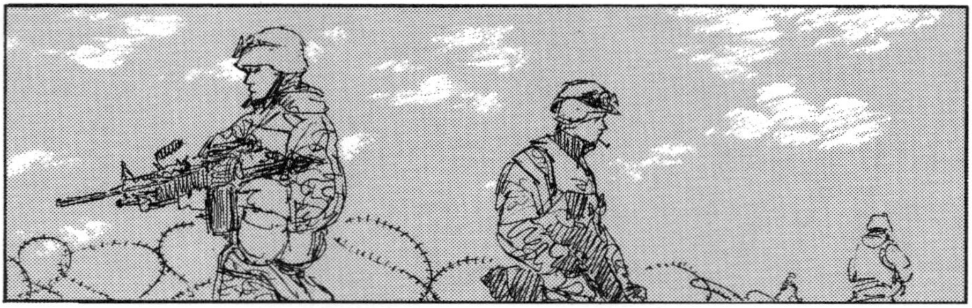

82

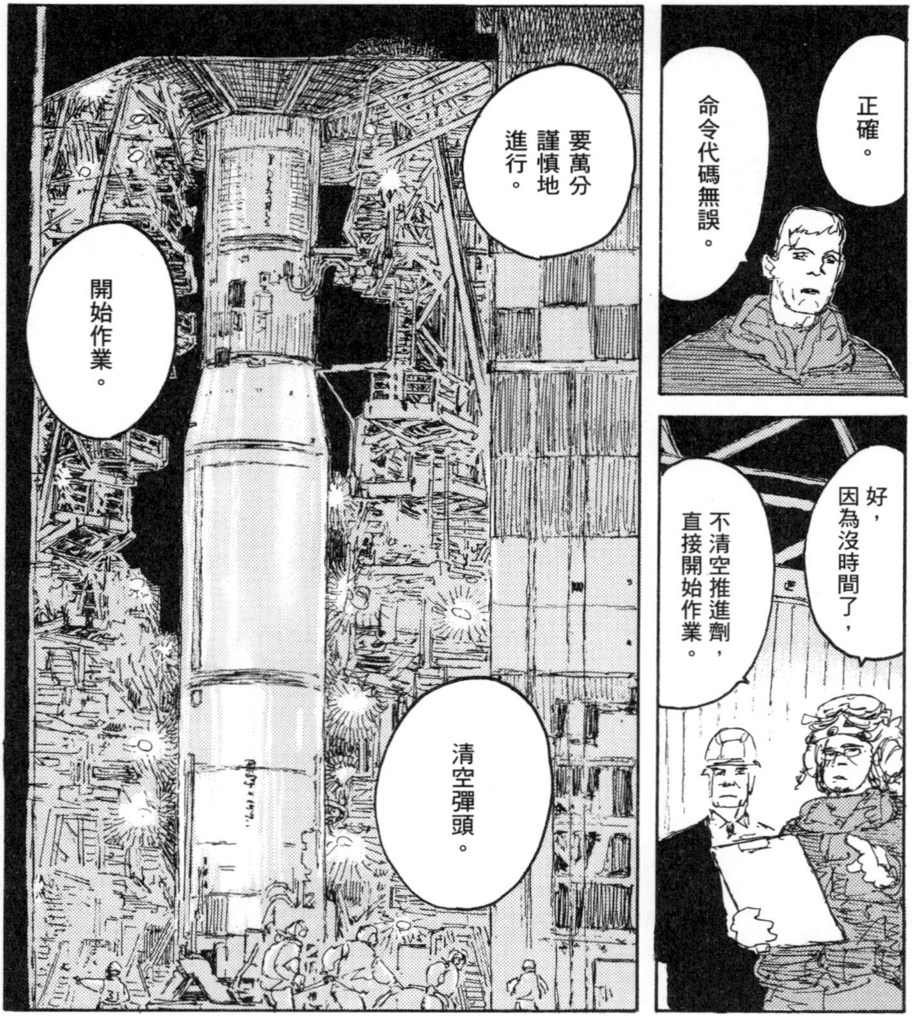
正確。
命令代碼無誤。
好，因為沒時間了，
不清空推進劑，直接開始作業。
要萬分謹慎地進行。
開始作業。
清空彈頭。

對，
是人要搭。
洲際彈道飛彈的話，如果不考慮搭乘者能否生還……
確實隨時都可以發射……
再怎麼樣都來不及嗎？都不行嗎？
太空梭或太空飛機，現在開始準備都太耗時了……
這是米拉的判斷。
雖然令人懊悔……但我們找不到其他辦法了。
來囉！
很危險，別靠近……
！
……
好慘…

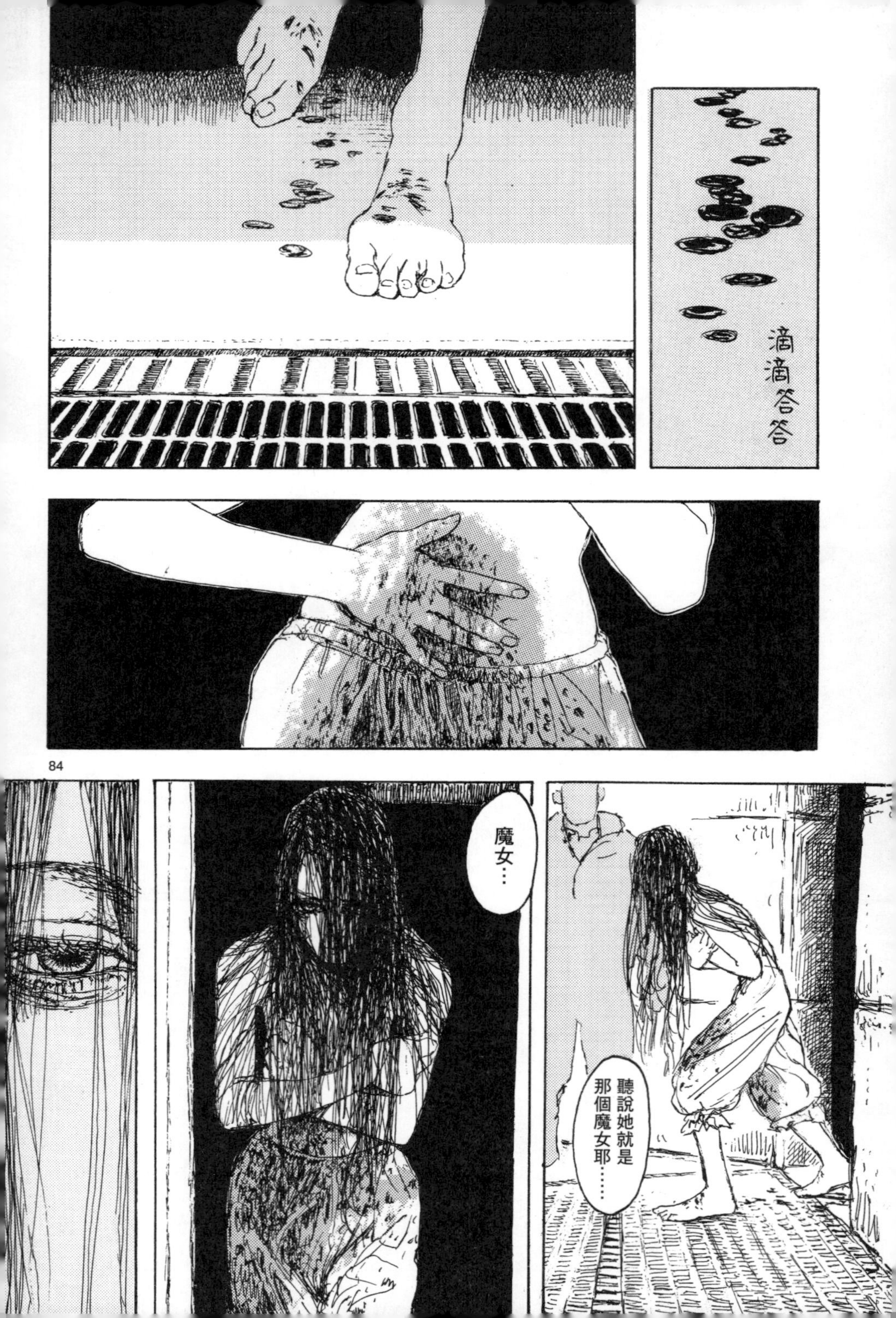
滴滴答答
魔女…
聽說她就是那個魔女耶……

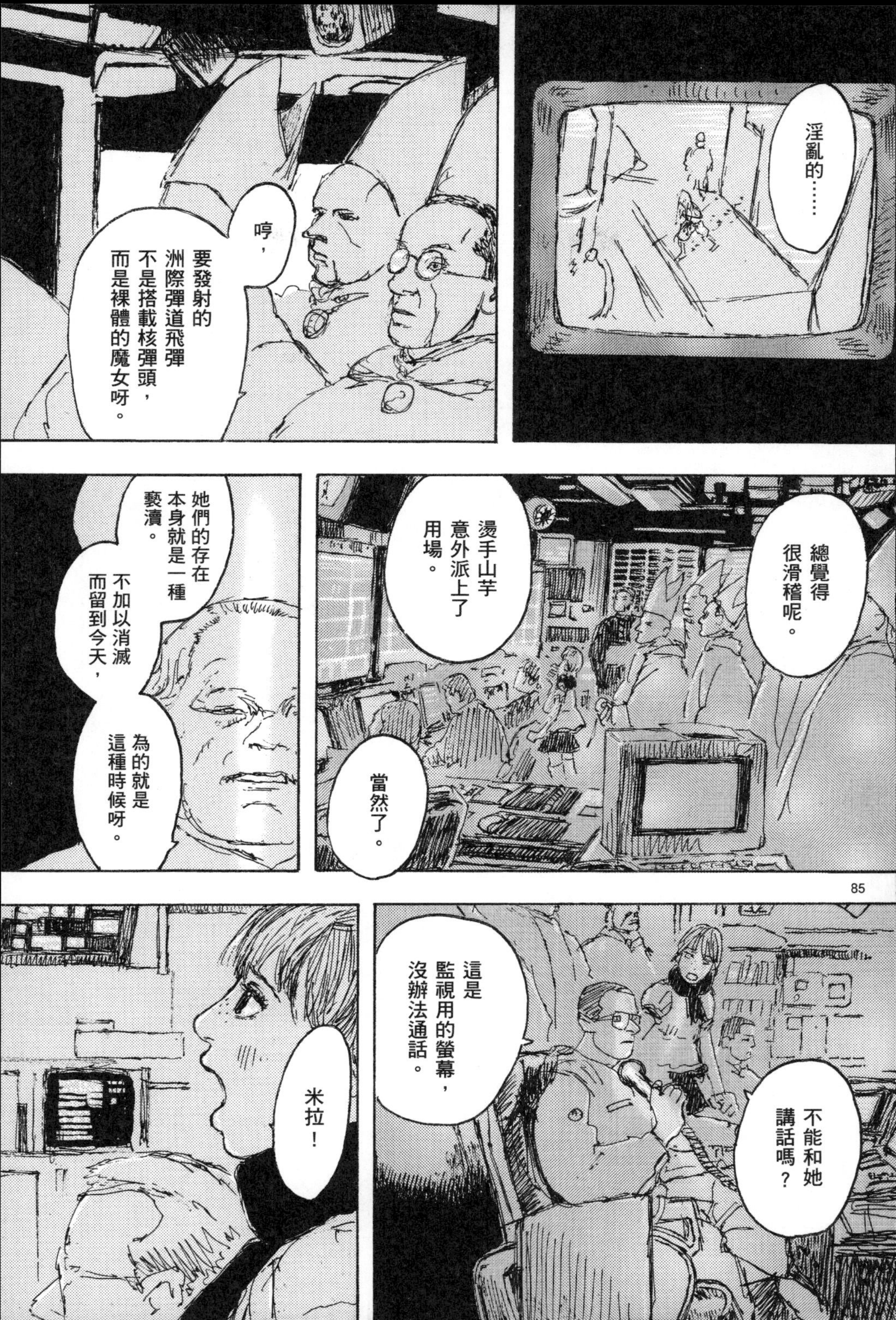
淫亂的……
哼，要發射的洲際彈道飛彈不是搭載核彈頭，而是裸體的魔女呀。
總覺得很滑稽呢。
燙手山芋意外派上了用場。
當然了。
她們的存在本身就是一種褻瀆。
不加以消滅而留到今天，
為的就是這種時候呀。
不能和她講話嗎？
這是監視用的螢幕，沒辦法通話。
米拉！

裝載彈頭，快！
啊，喂，這樣很危險啊！
呃……
這給妳……
……謝謝。
她要被關起來了……
啊……
米拉！
那間店的德式蛋糕很好吃，
可是，我還是比較喜歡米拉做的喔！

願神保佑……
住手！
不要用謊言送走米拉！
沒看過天空半次的人如果說「天空很藍」，他就是在說謊，就算話語內容沒有錯誤也一樣是謊言。
你們的言語沾染了汙穢，非常悲傷。
米拉的言語可是很閃耀的呀…

我們用全身觀看，用全身聆聽，
用全身嗅聞氣味，用全身去碰觸。
我們用自己的身體接納對方，和對方互相融合。
如果不那樣的話……
骯髒！一個小孩在那裡胡扯什麼！
咦。
雖然她只是小孩，但魔女就是魔女啊。
真是受夠了！
那些人才骯髒。
要著眼於「行徑」，而不是「言語」，這點也是米拉教我的喔。
米拉……

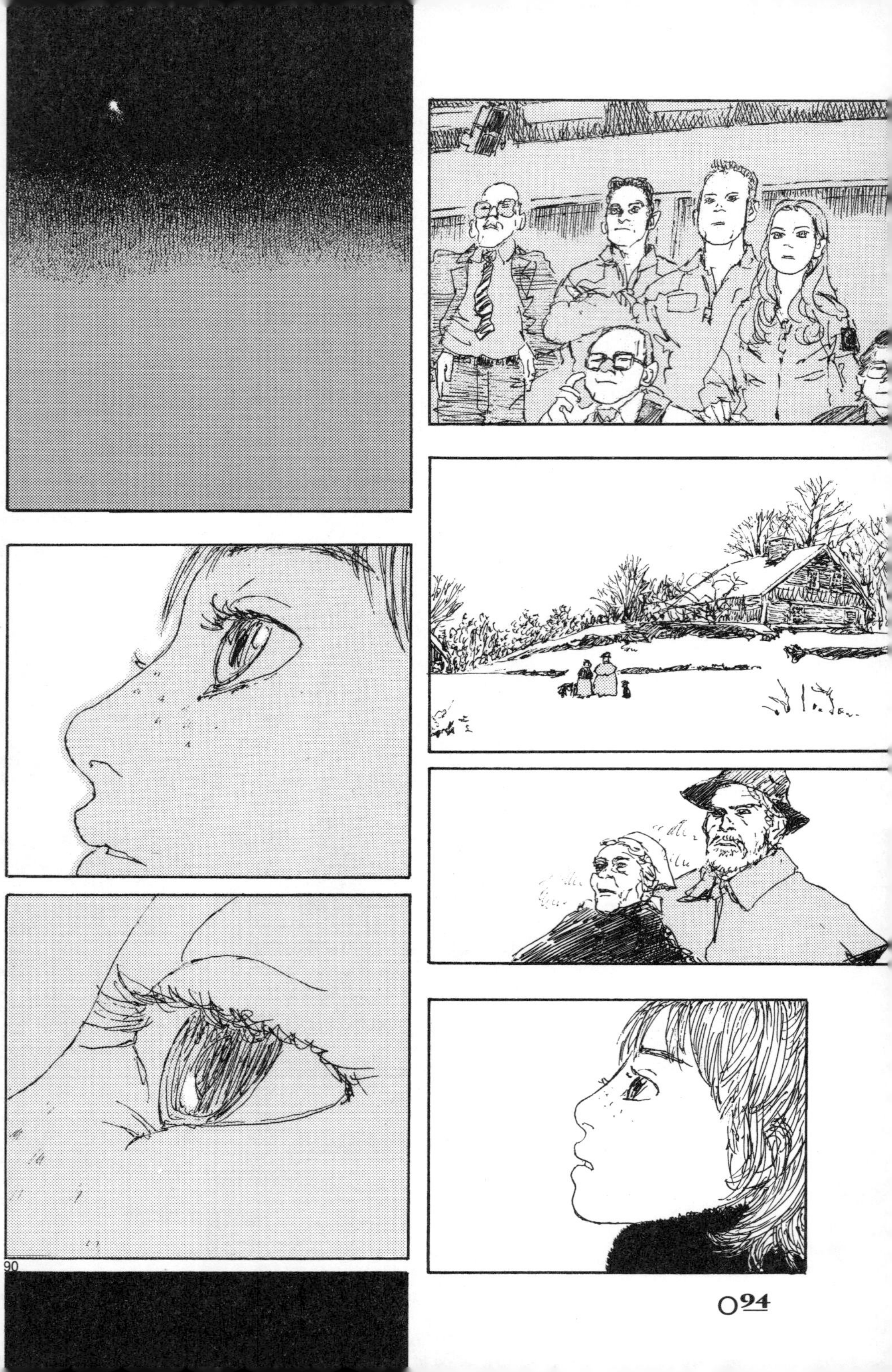

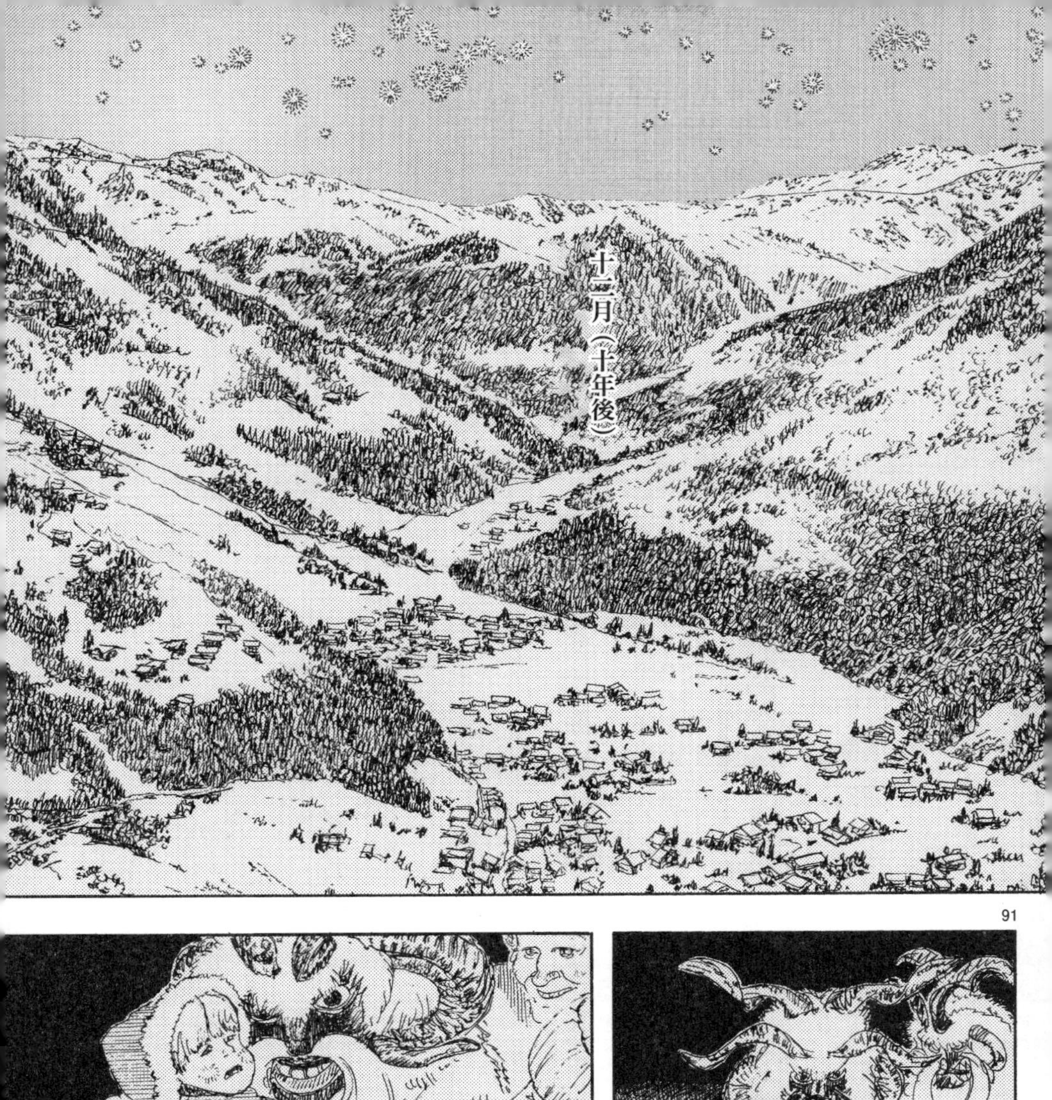
十二月（十年後）

嘎啷嘎啷
嘎啷

艾莉西亞？
怎麼啦，塔莎？
剛剛……椅子那裡，有人影……
對……妳看得到呀……
在「燻十二夜」，死者之靈會來訪……

那是……對我來說很重要的人……
艾莉西亞，
妳為什麼會被稱為「大魔女」呢？

「大魔女」這個稱號呀，
指的是一股很巨大很巨大的「力量」，或者說，從遠古延續到未來的「洪流」。
「森林」指的不是生長在那裡的樹木，
我只是其中的一部分。
而是在那裡的所有生命，
是光和時間塑造的所有事物吧。
察覺「自己在那裡」的那一刻起，
就會成為森林的一部分，任誰都可以。
魔女的道理也相同。
我只是有所察覺罷了。

妳也一定看得到的喔。

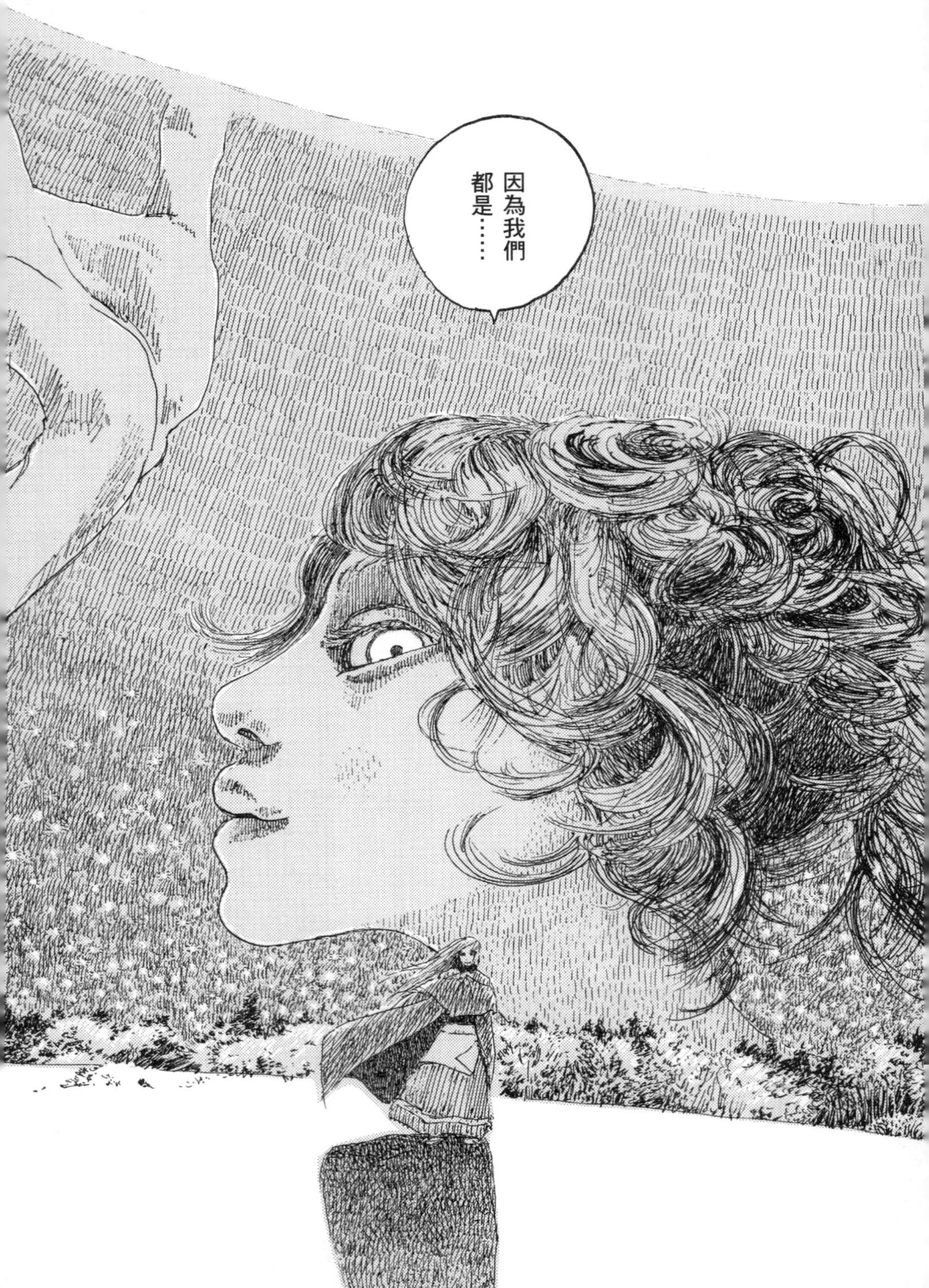
因為我們都是……

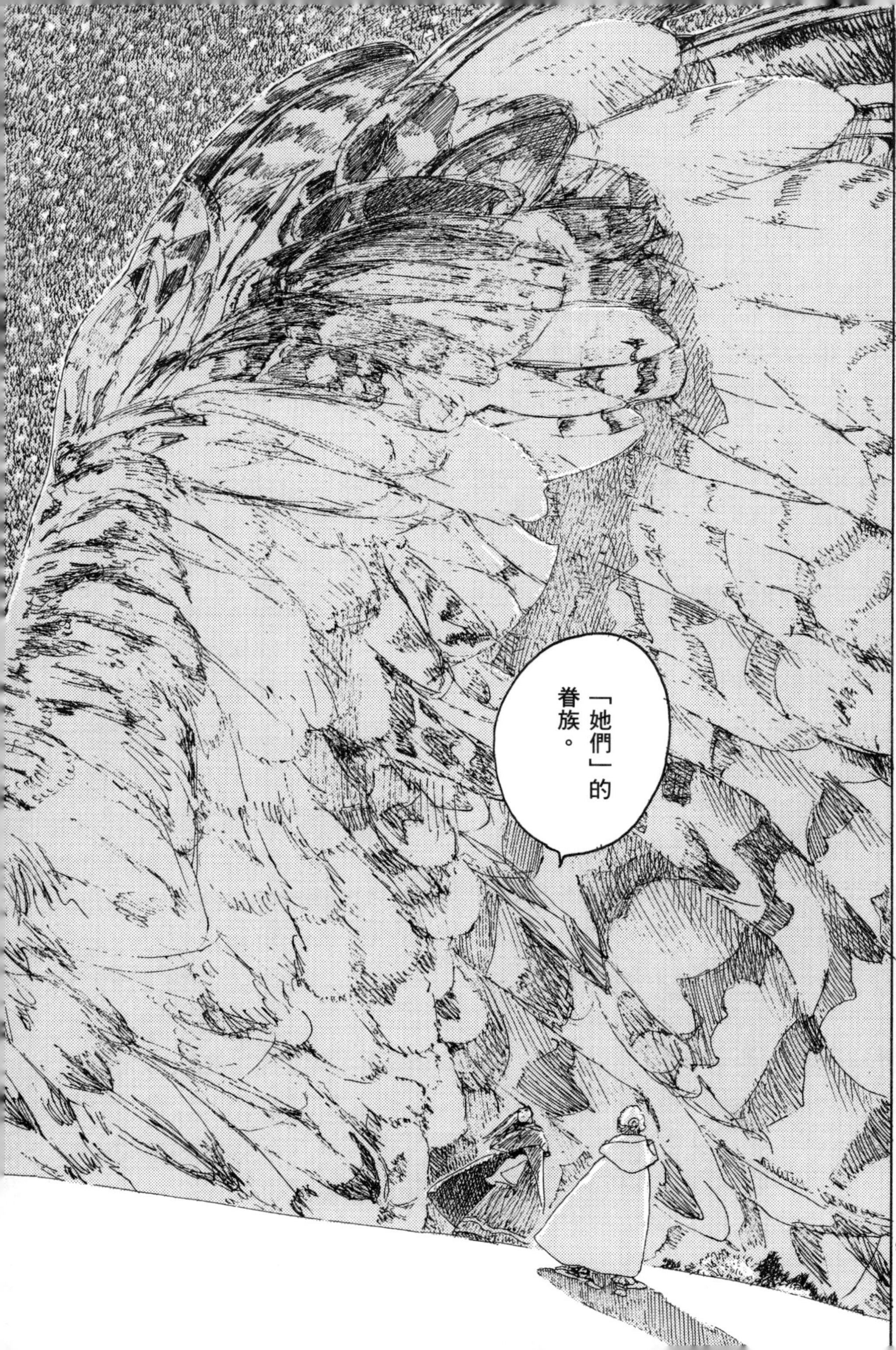
「她們」的眷族。

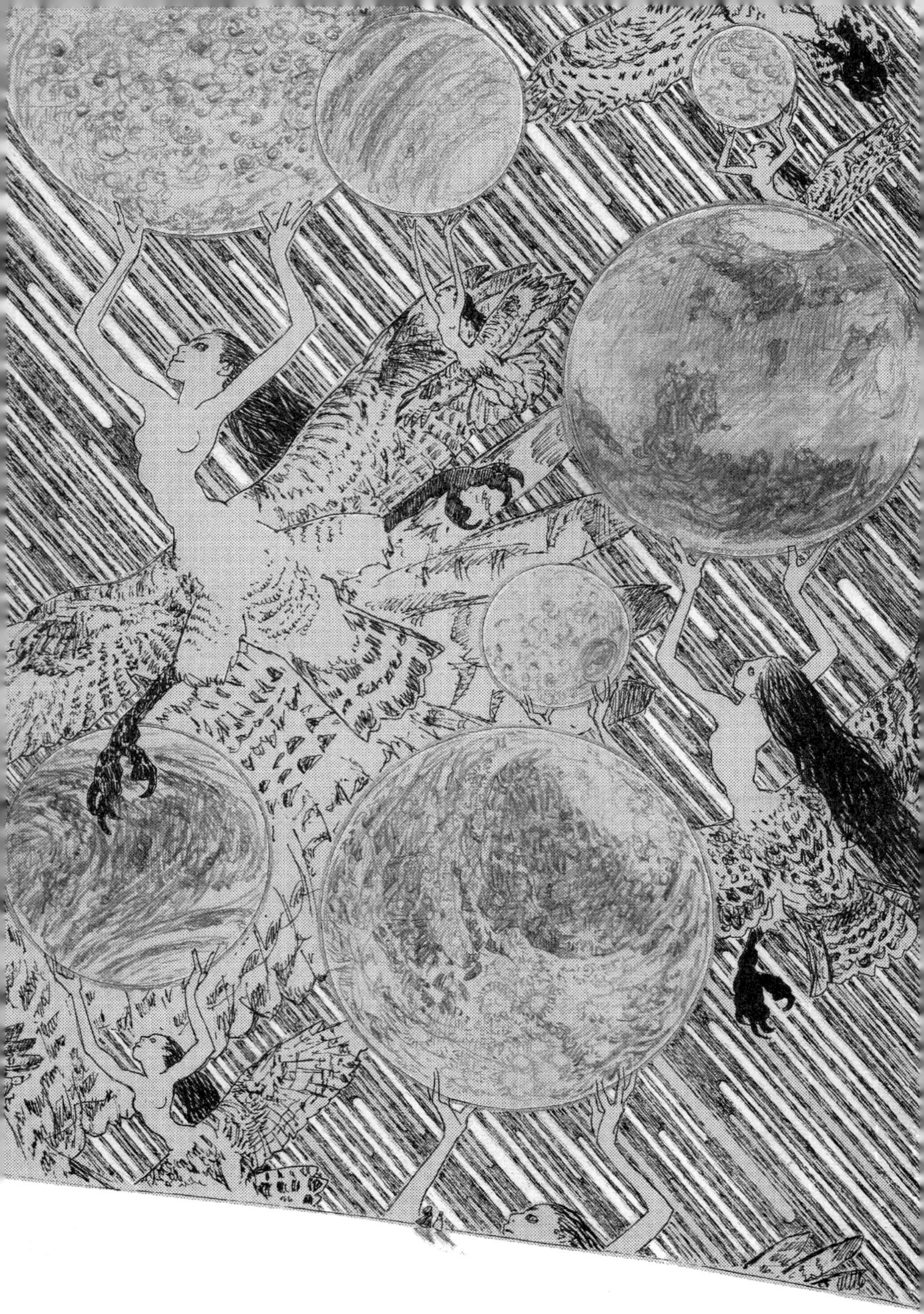

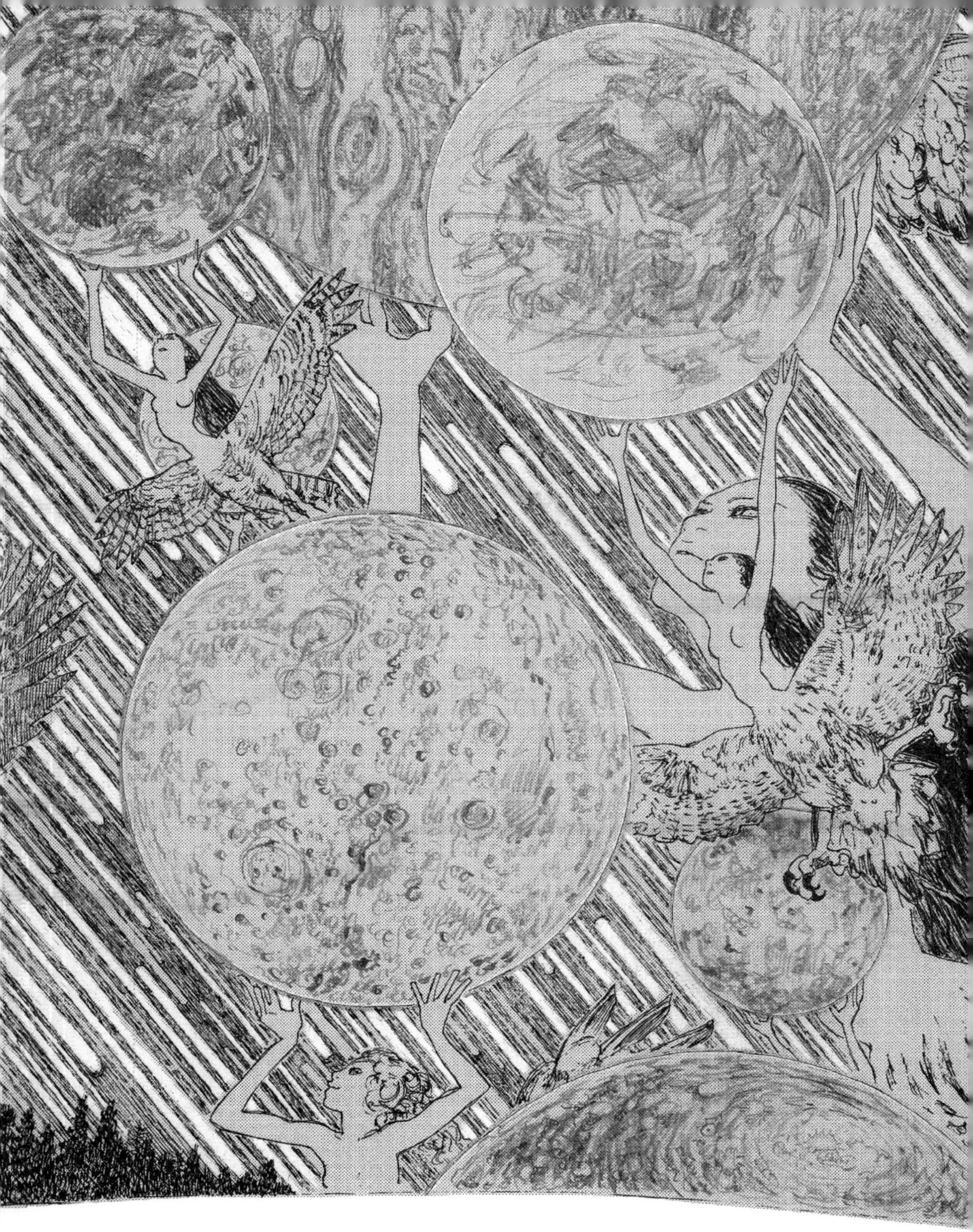

Petra Genitalix　生殖之石　完

這是發生在你出生不久前的故事……
颱風要來了。
朝著我。
筆直前進……

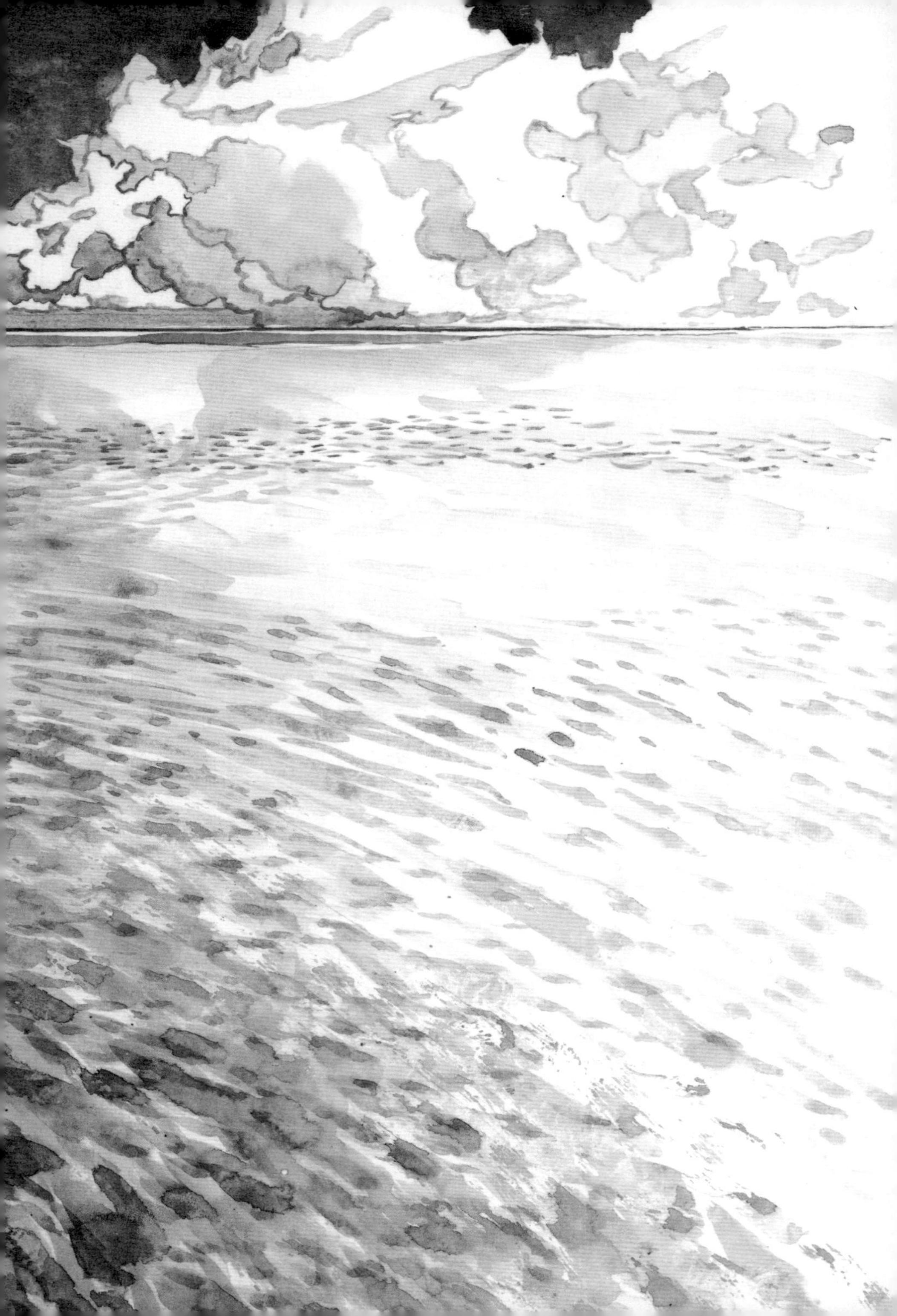

盜歌人

4

咚
好球。
嘰
唉呀。
啊哈哈。
砰
5
咦？
日向呢？
誰知道啊？

唧——嘎
唧——嘎
唧——嘎
唧——嘎
唧——嘎
唧——嘎
唧——嘎
唧——嘎
唧——嘎

6

唧——嘎
唧——嘎
唧——嘎
唧——嘎
班遊基金
二年級
三班一號
相原 郁生
5/21
6/21
7/21

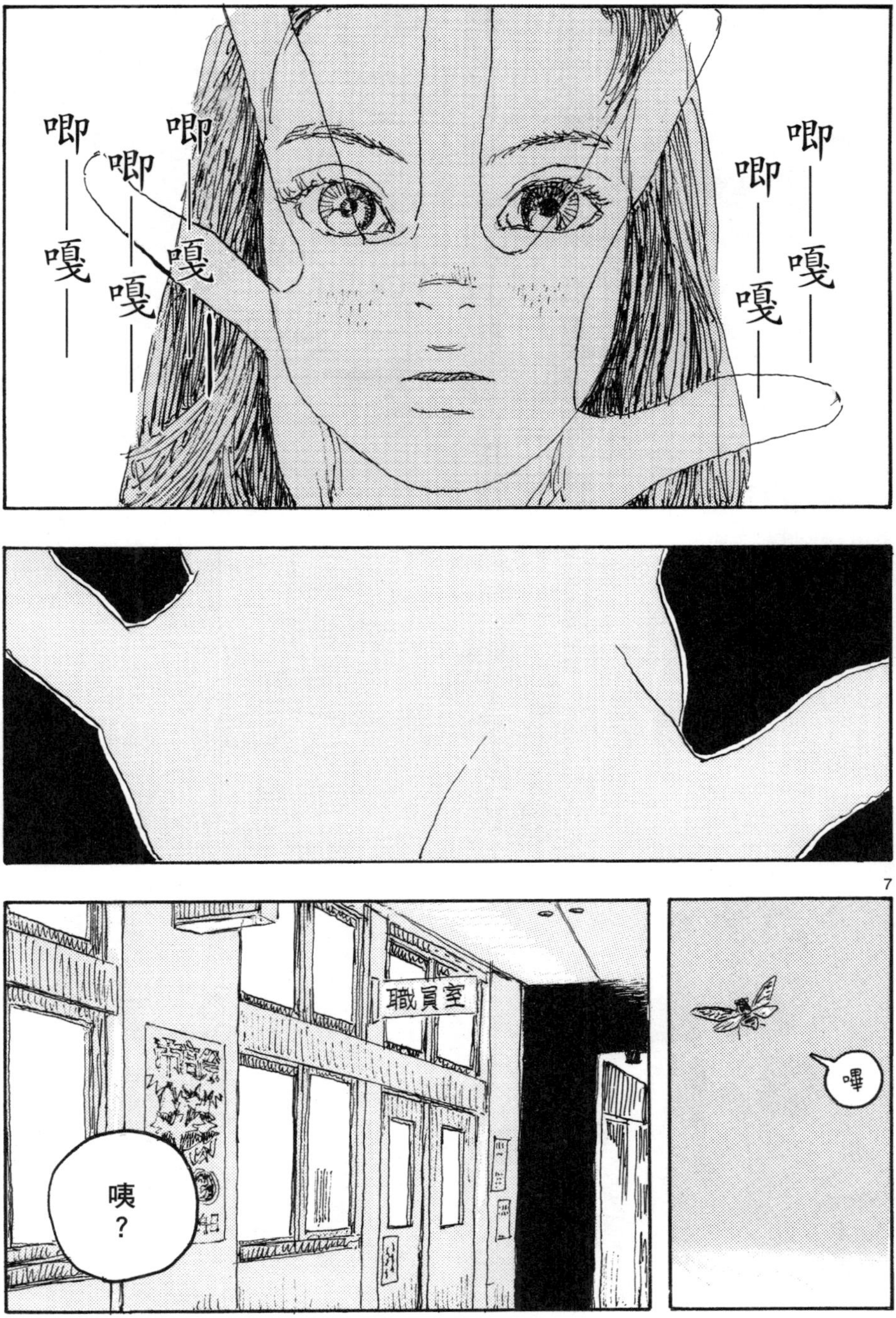

7

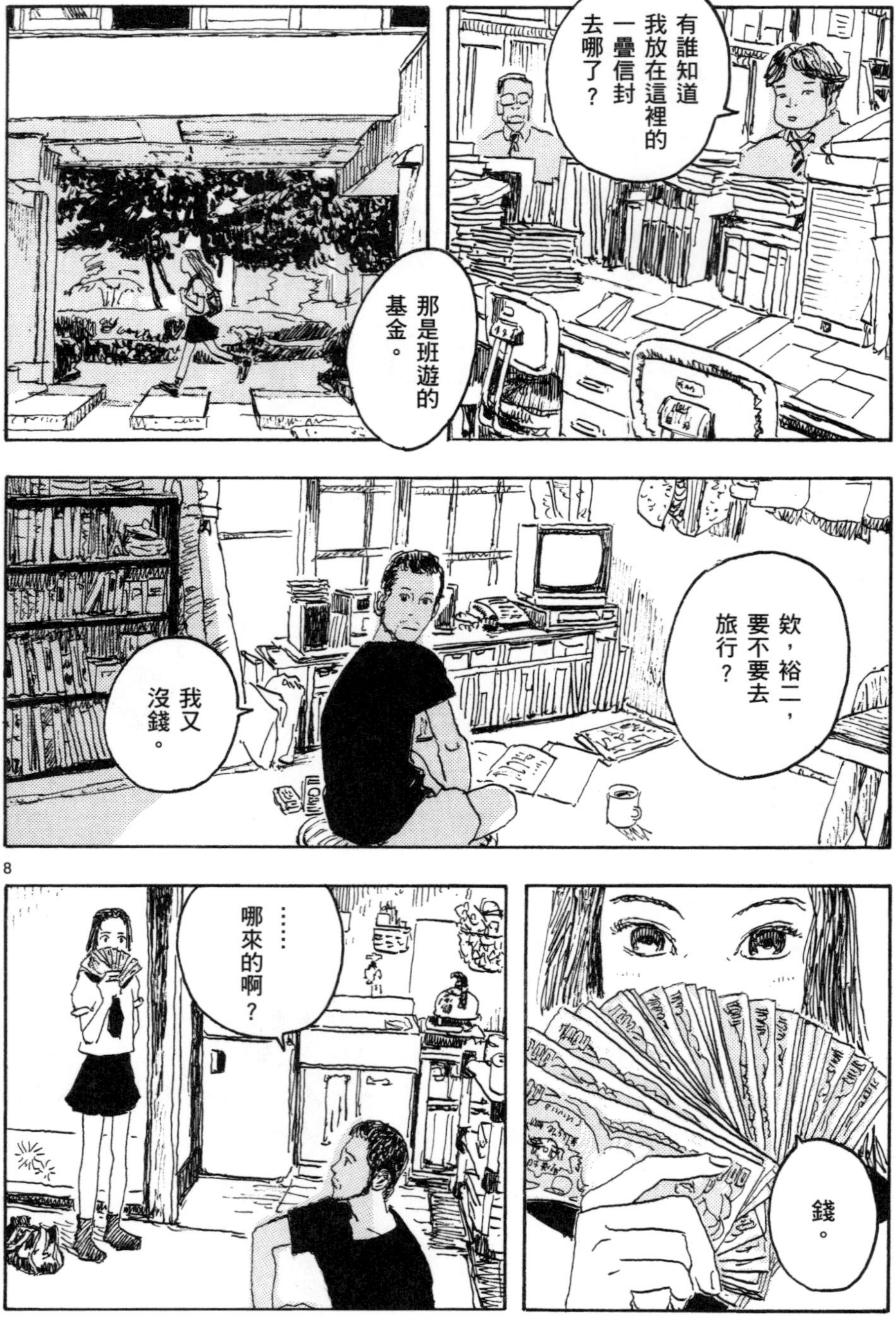

8

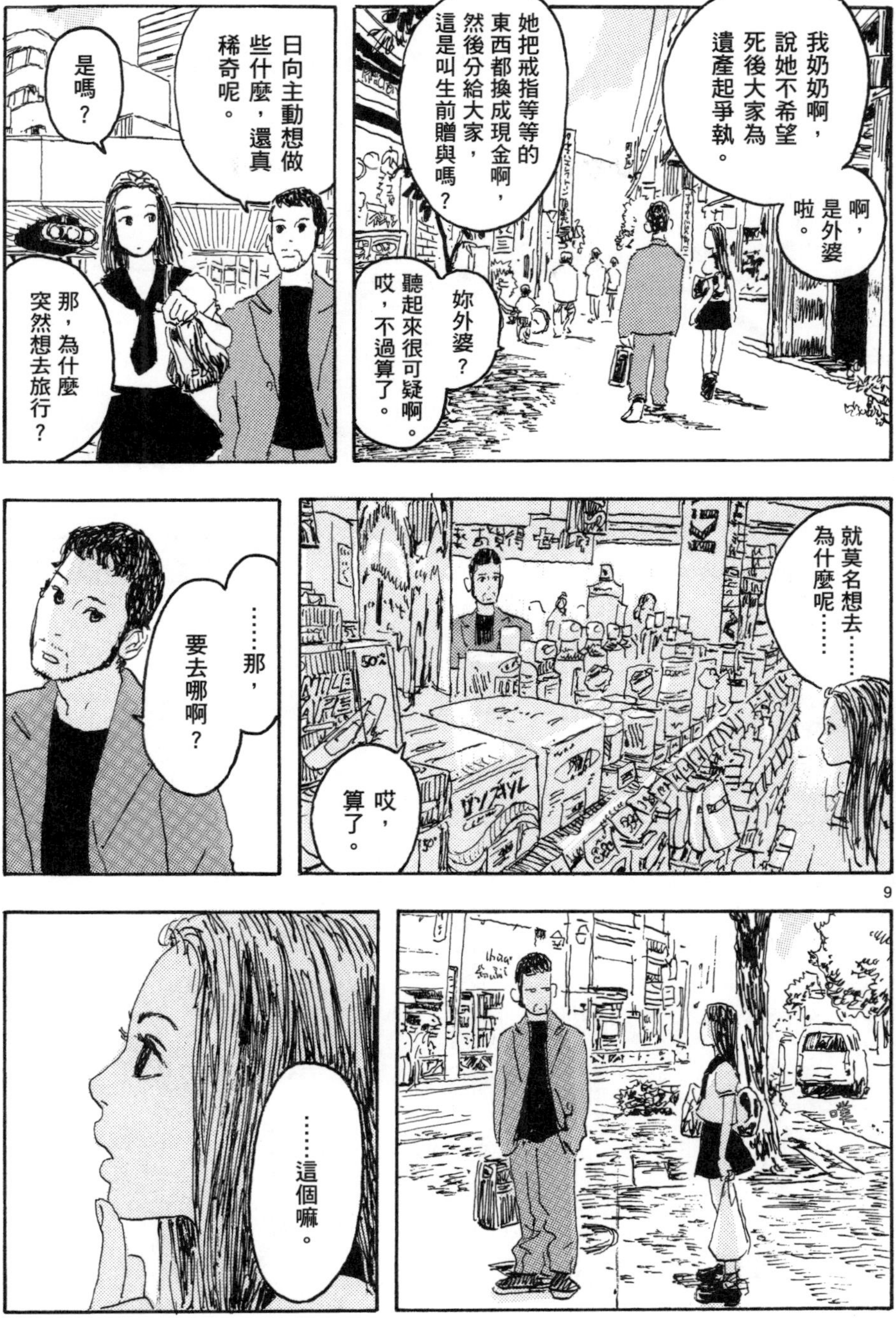
我奶奶啊，說她不希望死後大家為遺產起爭執。
啊，是外婆啦。
她把戒指等等的東西都換成現金啊，然後分給大家，這是叫生前贈與嗎？
妳外婆？聽起來很可疑啊。哎，不過算了。
日向主動想做些什麼，還真稀奇呢。
是嗎？
那，為什麼突然想去旅行？
就莫名想去……為什麼呢……
哎，算了。
……那，要去哪啊？
……這個嘛。

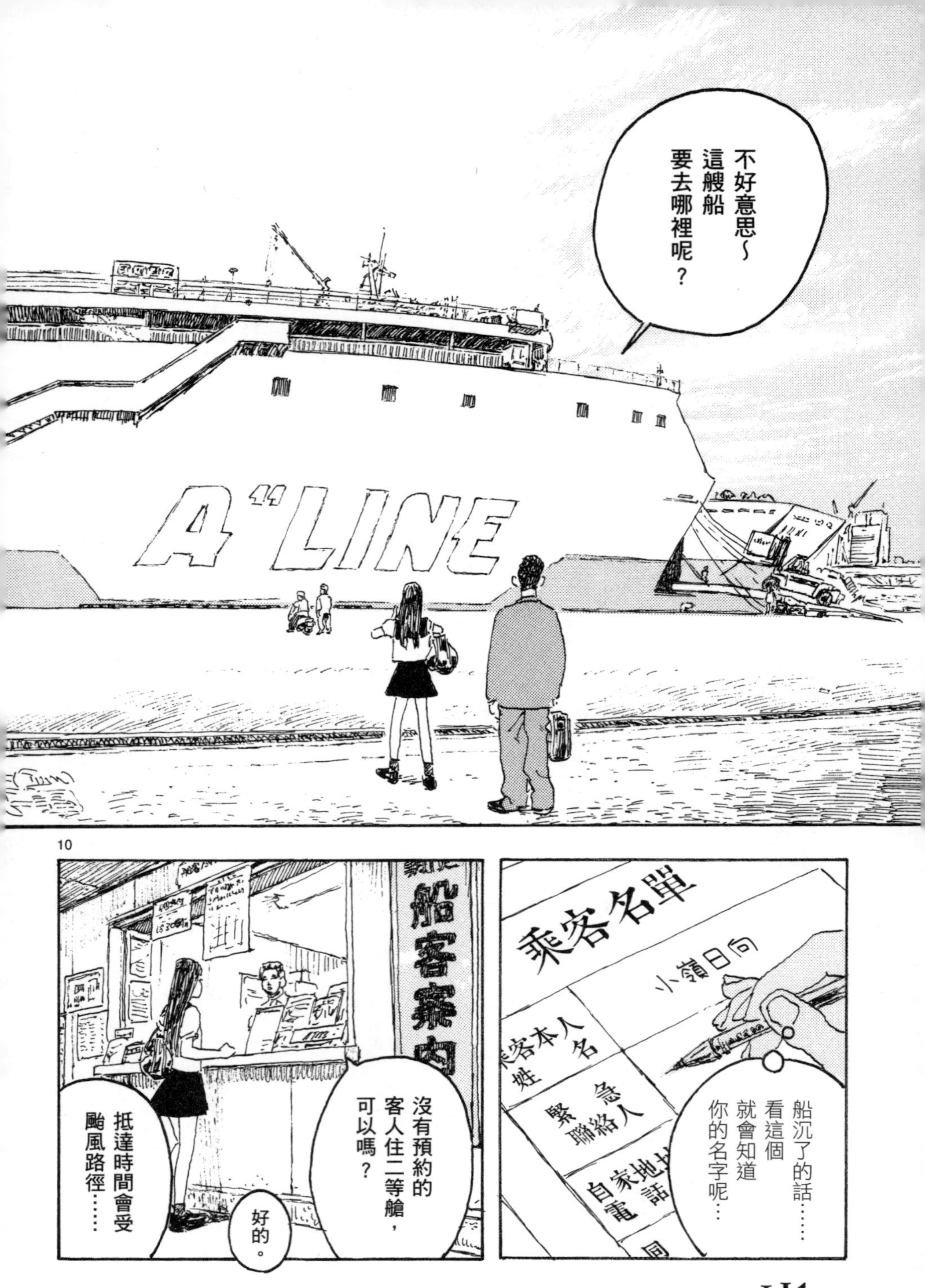
不好意思～這艘船要去哪裡呢？
A"LINE
10
乘客名單
小嶺日向
乘客本人姓名
緊急聯絡人
船沉了的話……看這個就會知道你的名字呢……
船客案内
沒有預約的客人住二等艙，可以嗎？
好的。
抵達時間會受颱風路徑……

一個人兩萬零五百日圓。
二等艙是大通鋪，男女分開。
噹
噹
噹
整個興奮起來了呢～

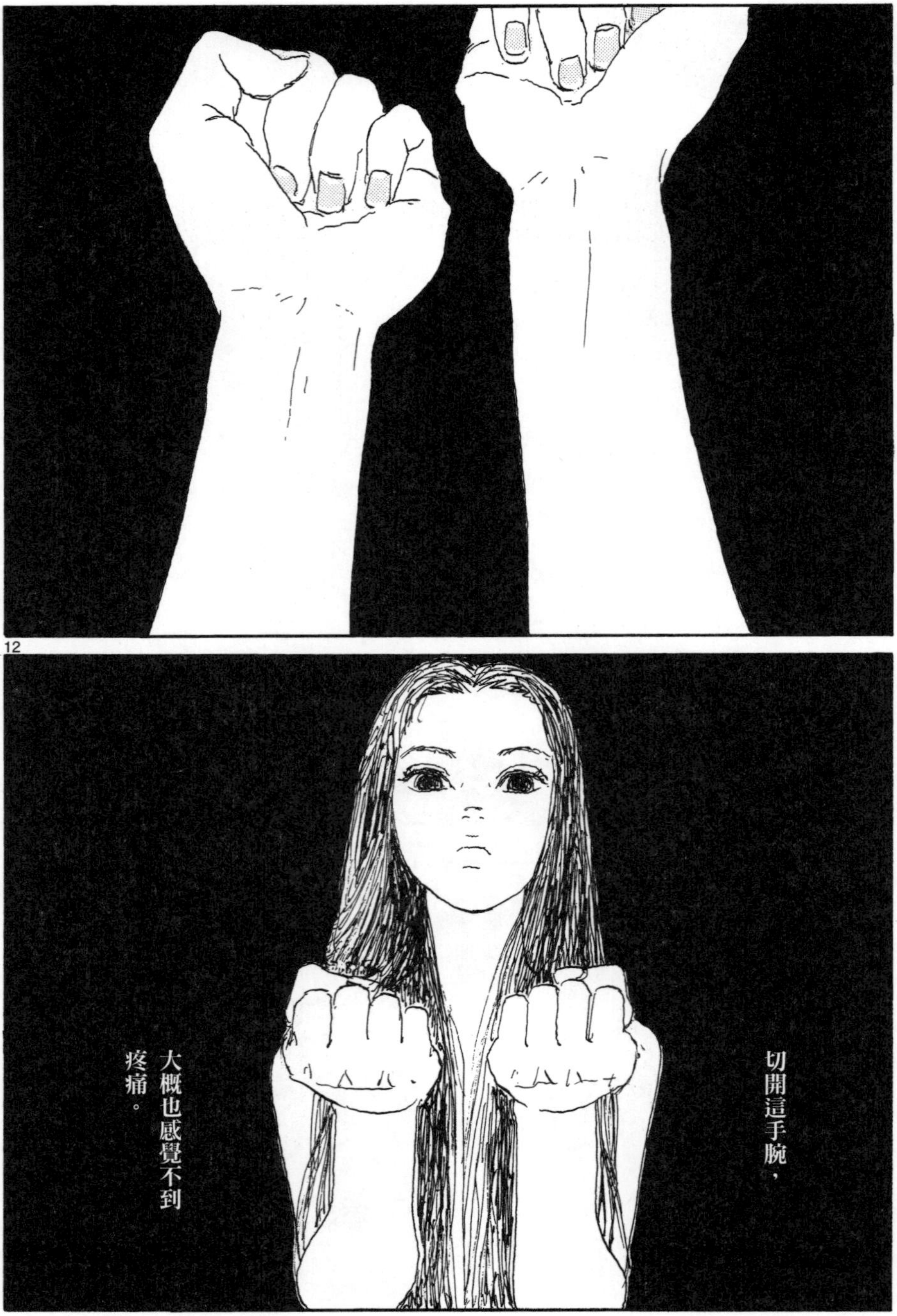
12
切開這手腕，
大概也感覺不到疼痛。

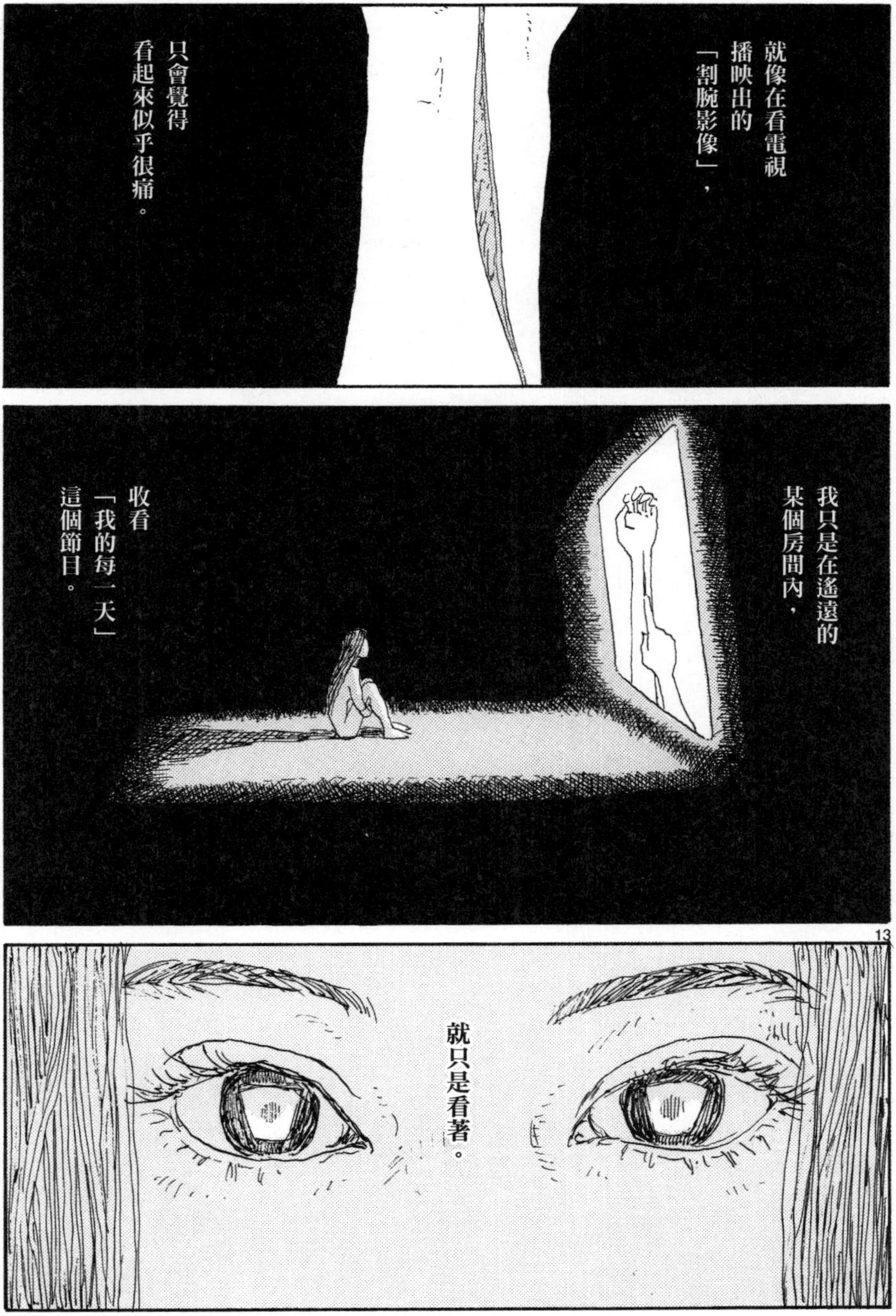
就像在看電視
播映出的
「割腕影像」，
只會覺得
看起來似乎很痛。
我只是在遙遠的
某個房間內，
收看
「我的每一天」
這個節目。
就只是看著。

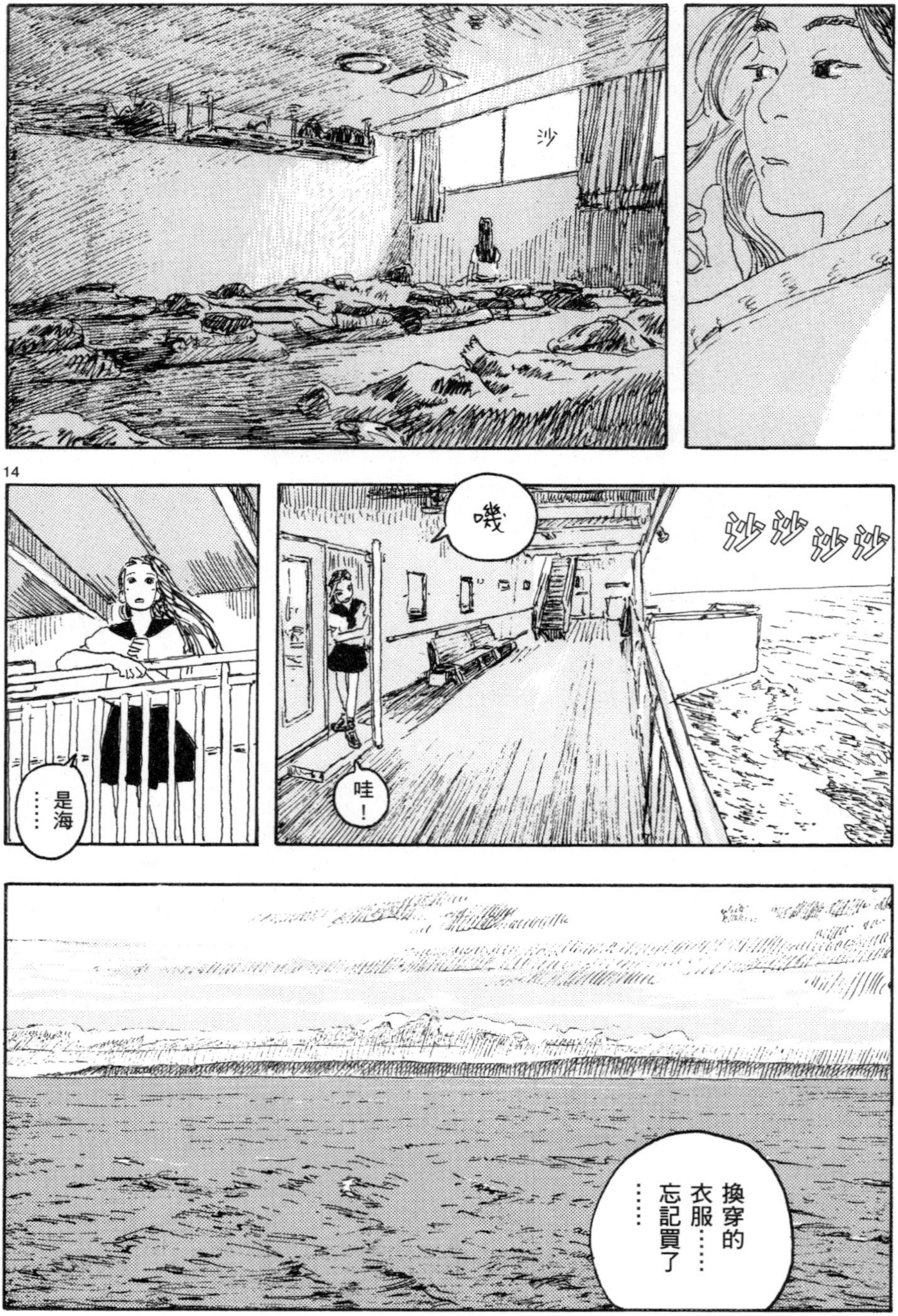

14

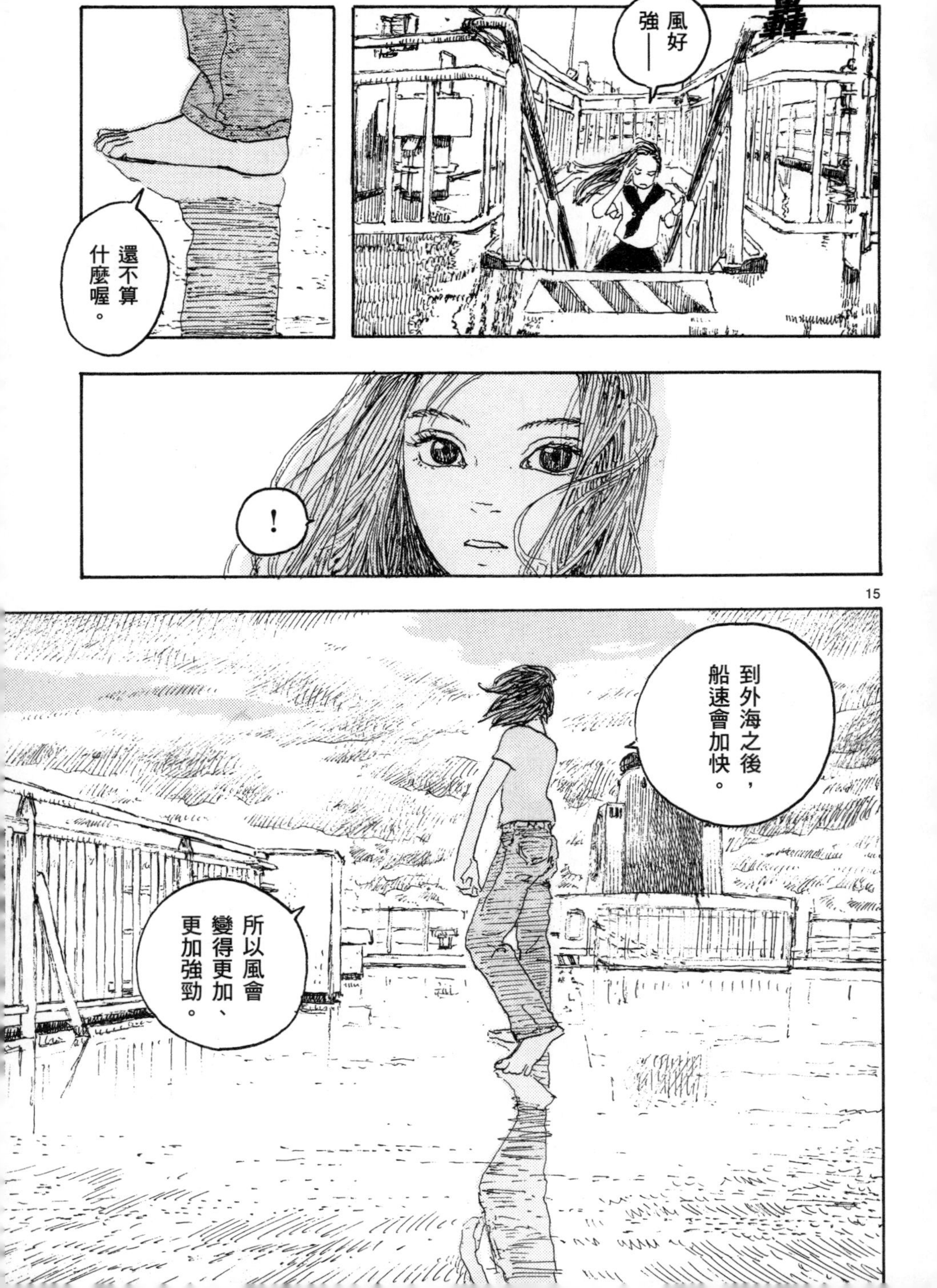
轟
風好強——
還不算什麼喔。
!
到外海之後，船速會加快。
所以風會變得更加、更加強勁。

風，
還會再變強喔。
好驚人，
那眼珠……
妳，
還在沉睡中呢。
咦？
我叫千足。

轉
妳呢？
啊，我叫……日向。
日向…還在沉睡。
而且裡頭空空的。
…
我剛睡醒耶……
不是那個意思……
欸，打赤腳吧。
咦？
像我這樣子。
來吧。
很舒服喔，快點！
赤腳、
赤腳。
……

哇……
好冰……
濕濕的……
粗粗的……
來吧。
走一走，走一走。
好痛啊，粗糙的部分扎著腳……
這樣就算濕掉也不容易打滑……
原來啊，
風……吹著腳……
……好舒服……
對吧？
喏！妳的腳醒過來了。
啊……

日向，妳的全身上下，
都在沉睡。
門窗都關著不開，
什麼都進不去。
所以裡頭才會空空的。
日向一定是……
為了甦醒，
才踏上旅程的。
對吧？
……
轟——
好猛！

19

隆隆隆
面對著風就無法呼吸了！
感覺毛孔裡的汙垢也被吹走了！
好像會變成大美人呢！
啊哈哈。
日向很漂亮喔。
所以風才來抱妳。
風非常下流吧？
20
沙沙
真的耶。
全身上下都被觸碰著。

風那
看不見的手……
強勁地撫摸
各個部位
……
我從來不曾像這樣
感受自己的身體，
這還是第一次！
全身皮膚
都在將風
反彈回去！
我知道
自己的身體
在這裡！
我可以感覺到
自己在這裡啊！

22

呼啊……
海味好重。
這艘船上什麼也沒有呢。
要搭兩天啊，早知道起碼該帶本書來的。
日向有沒有帶什麼來啊？
我想應該是沒有啦。
那就別問我啊。
而且我的皮膚也很脆弱。
我進去裡面囉。
妳也要小心紫外線啊。
嗯。
剛剛那是……妳男友？
啊。
是我親戚……以前住在我家附近……
……叫裕二。

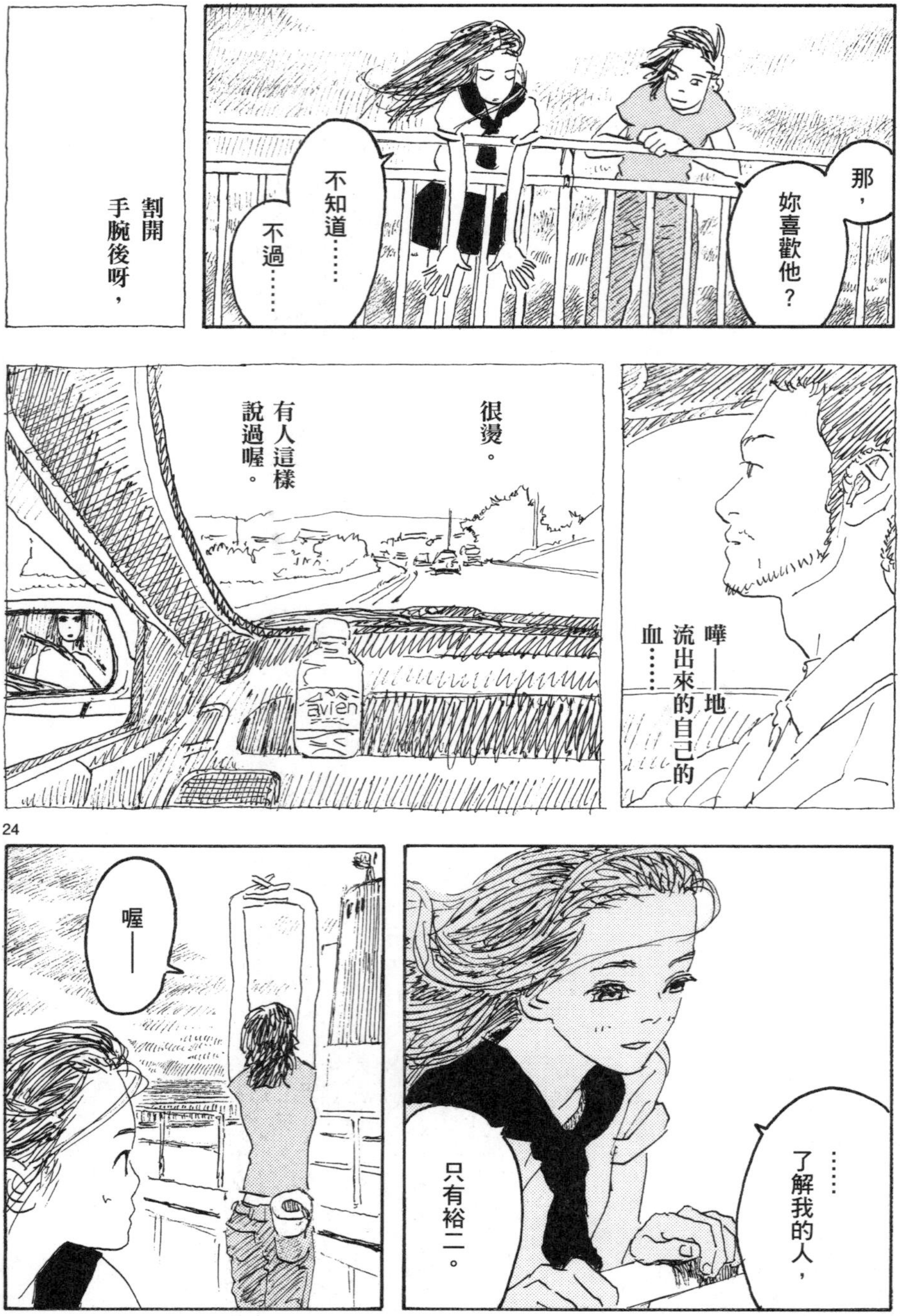
那，妳喜歡他？
不知道……
不過……
割開手腕後呀，
嘩——地流出來的自己的血……
很燙。
有人這樣說過喔。
avien
……了解我的人，
只有裕二。
喔——

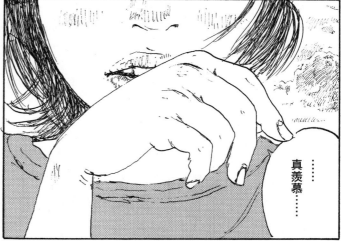

呵呵……日向真可愛呢。
日向啊，妳受大家喜愛的程度，遠過妳自己的想像喔。
咦？
……沒那種事。
妳有人呵護，而且呵護到妳連這種事都沒注意到呀！
我都知道。
我看得出來喔。
……真羨慕……
咦？
……沒事……

25

……日向……
「日向」真是個好名字呀。
這是受到許多人呼喚，受到祝福的名字喔。
……是嗎？
欸！
我要是生小孩的話，
可以用妳的名字幫他取名嗎？
……嗯。是可以啦……
太好了，謝謝。
緊抱
我好開心！
……欸。

嗯？
千足小姐要去哪裡啊？
喔，
……我要去一個特別的地方。
我誕生的家。
日向呢？妳決定要去哪了嗎？
不，沒想法……
既然如此！
我推薦妳去一座島。
雖然得換搭好幾次船啦……
這本書有寫到嗎……
啪啦啦啦啦

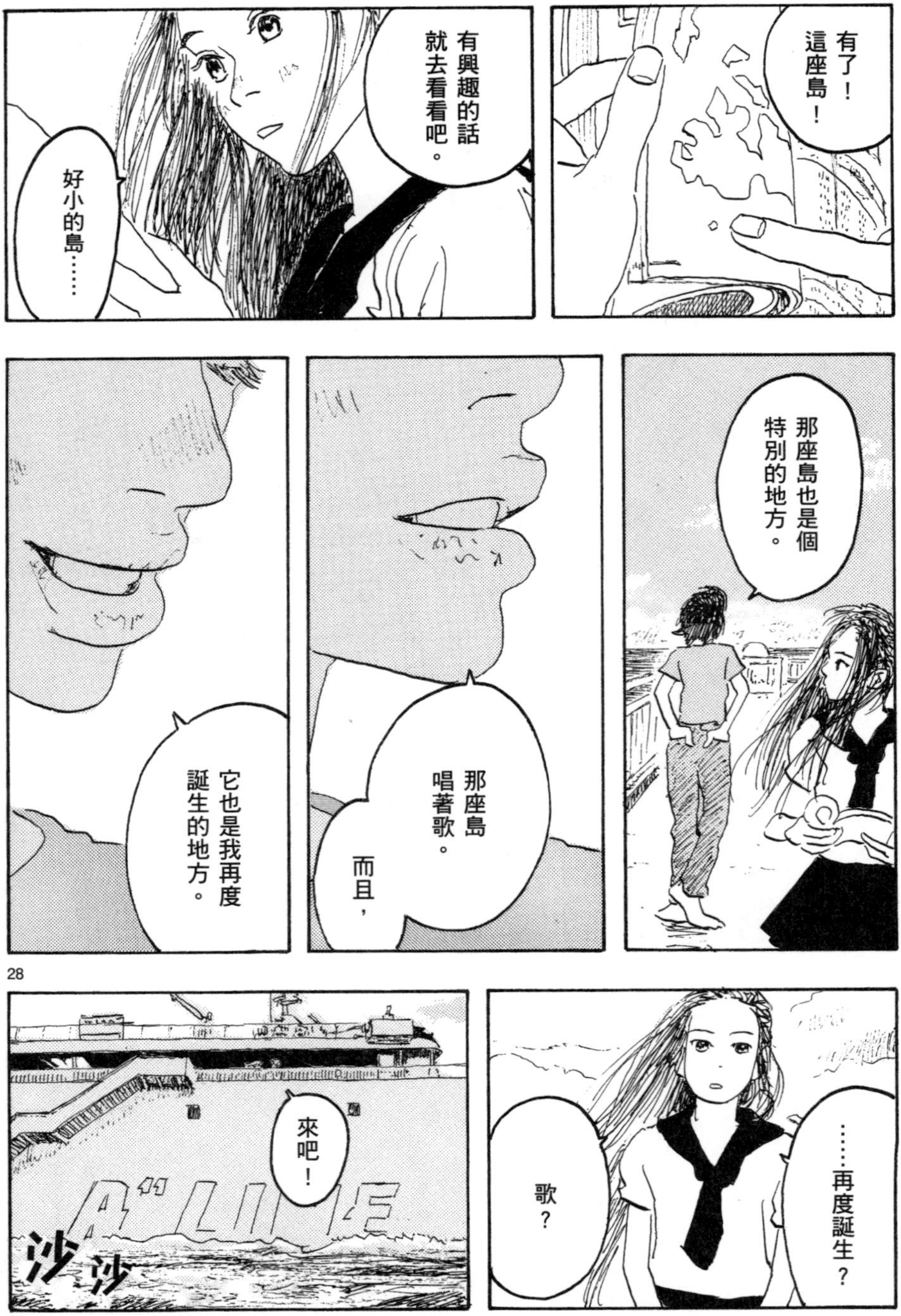
有了！這座島！
有興趣的話就去看看吧。
好小的島……
那座島也是個特別的地方。
那座島唱著歌。
而且，
它也是我再度誕生的地方。
……再度誕生？
歌？
來吧！
沙沙

轟
海中所有的水。
水的重量。
去感受看看吧。
水流洶湧所產生的巨大能量。
沙沙沙沙沙
使整片海洋軋軋作響的壓力。
脈動。
節奏。

我的全身都感受著。
會不會顫抖啊？
我是說身體深處！
啪
豎耳傾聽的話，耳膜就會承接聲音的振動。
同樣地，澄淨全身之後，眼睛，或手腕，或所有內臟，都能承接「思想」或「心」。
承接世界所唱的「歌」。
假如日向的全部都覺醒了，
日向的全部，
就都會感覺到「歌」喔。

日向還在半夢半醒間……
但妳要是去那座島的話，眼睛就會啪地睜開喔。
真的喔。
我之前也是那樣。
我最早感受到的，是島的歌。
那座島是聖地，我偷偷跑去那玩。
我想，那時我肯定是做好了準備。
那時我希望自己能夠改變，
而且內心飢渴，無比空洞。

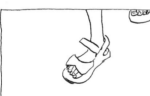

歌，
充滿了我的身體。
世界像是變了個模樣。
那時候，
島的歌，
和我心之顫抖的波長，
完美重疊了。
果然…是聖地，所以才會那樣吧。
對！
那座島是聖地，所以不能從島上帶走任何東西。
一顆小石頭、一根草，都不能帶走。
如果妳要去的話，起碼要遵守這個規矩。絕對要喔！約好囉!!
不過在其他地方的話，妳要偷什麼都隨妳囉。
驚
對對對。

32

那本書是別人的，我擅自拿來了！
幫我還到大廳去！
……
……要小心喔。
破壞約定的話，
妳接下來理應受到的祝福，全部都會被沒收喔。
歌……
嗎……
33
叮咚噹咚
現在開始販售晚餐券。
希望用餐的貴賓，請前往大廳櫃台。
要吃什麼？
起碼餐費讓我出吧。

沒關係啦。
那些錢只有我花的話，
總覺得不太好……
說那啥話啊。
!
……欸。
我在叫你啦。
什麼？

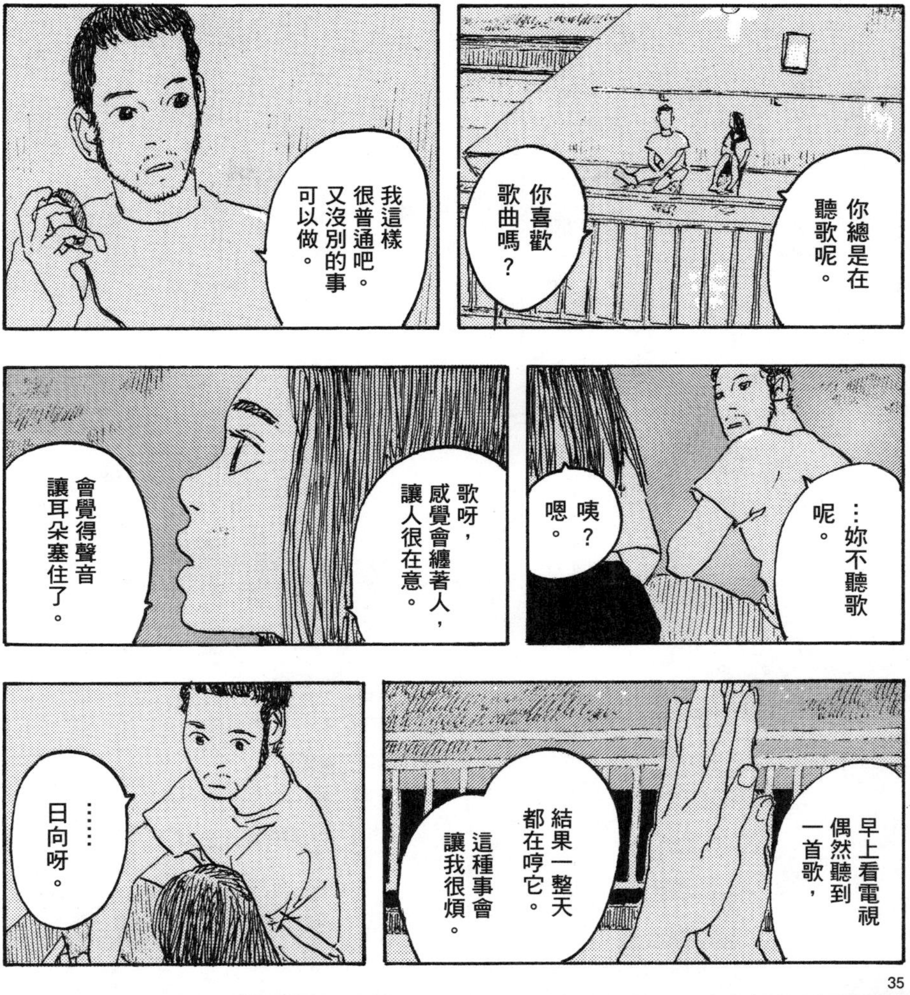
你總是在聽歌呢。
你喜歡歌曲嗎？
我這樣很普通吧。又沒別的事可以做。
…妳不聽歌呢。
咦？嗯。
歌呀，感覺會纏著人，讓人很在意。
會覺得聲音讓耳朵塞住了。
早上看電視偶然聽到一首歌，
結果一整天都在哼它。這種事會讓我很煩。
……日向呀。
妳反而是對聲音太敏感了吧？
該說是潔癖嗎？
如果有很對味的歌，妳一定會很投入的吧。

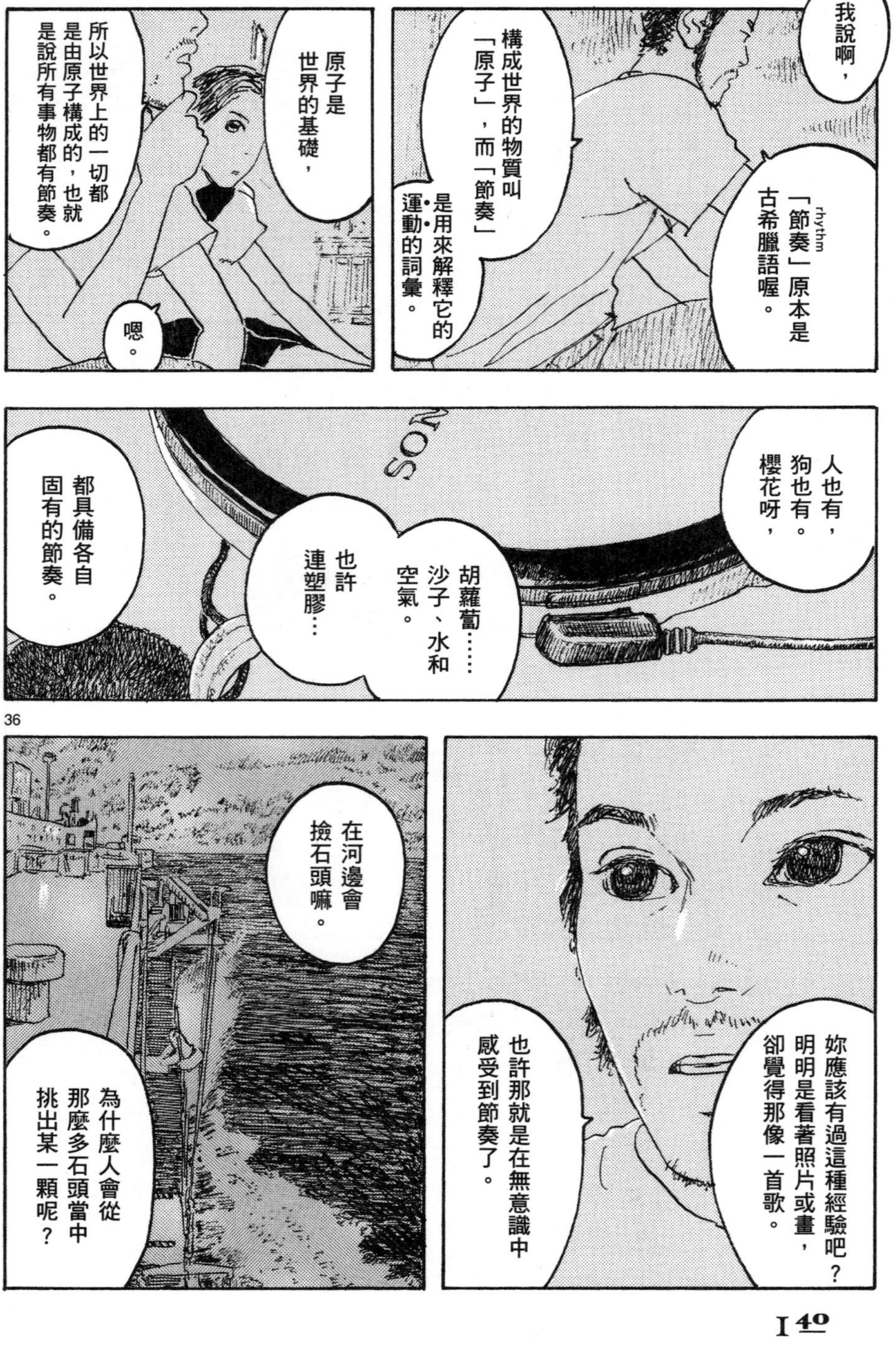
我說啊，
「節奏（rhythm）」原本是古希臘語喔。
構成世界的物質叫「原子」，而「節奏」是用來解釋它的運動的詞彙。
原子是世界的基礎，
所以世界上的一切都是由原子構成的，也就是說所有事物都有節奏。
嗯。
人也有，狗也有。櫻花呀，
胡蘿蔔……沙子、水和空氣。
也許連塑膠…
都具備各自固有的節奏。
妳應該有過這種經驗吧？明明是看著照片或畫，卻覺得那像一首歌。
也許那就是在無意識中感受到節奏了。
在河邊會撿石頭嘛。
為什麼人會從那麼多石頭當中挑出某一顆呢？

36

母親和小孩，雙胞胎，很想要的椅子……
為風景感動，還有喜歡上別人，
也許都是彼此的節奏，產生了共鳴。
……如果世界是透過一個個節奏的共鳴塑造出來的……
那麼在我們看來，世界，
也許就像某種歌吧…
37
!

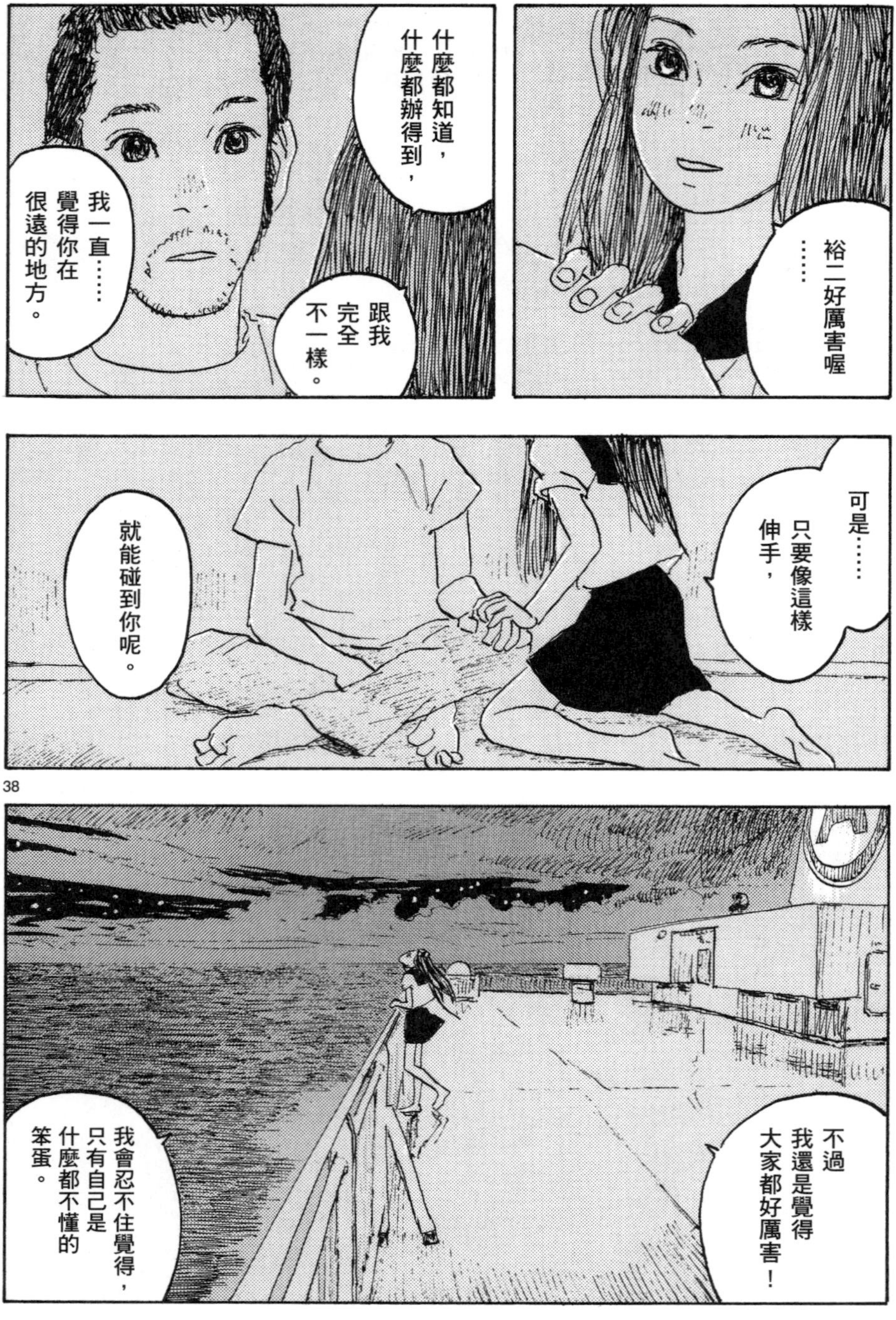

裕二好厲害喔⋯⋯
什麼都知道，什麼都辦得到，
跟我完全不一樣。
我一直⋯⋯覺得你在很遠的地方。
可是⋯⋯只要像這樣伸手，
就能碰到你呢。
不過我還是覺得大家都好厲害！
我會忍不住覺得，只有自己是什麼都不懂的笨蛋。

38

大家都是這樣看待彼此的。
妳和其他人不一樣，所以也會有能與妳共鳴的人。
……你覺得有啊？
我只要維持現在這樣就行了嗎？
對啊。
……行啊。
晚安啊——

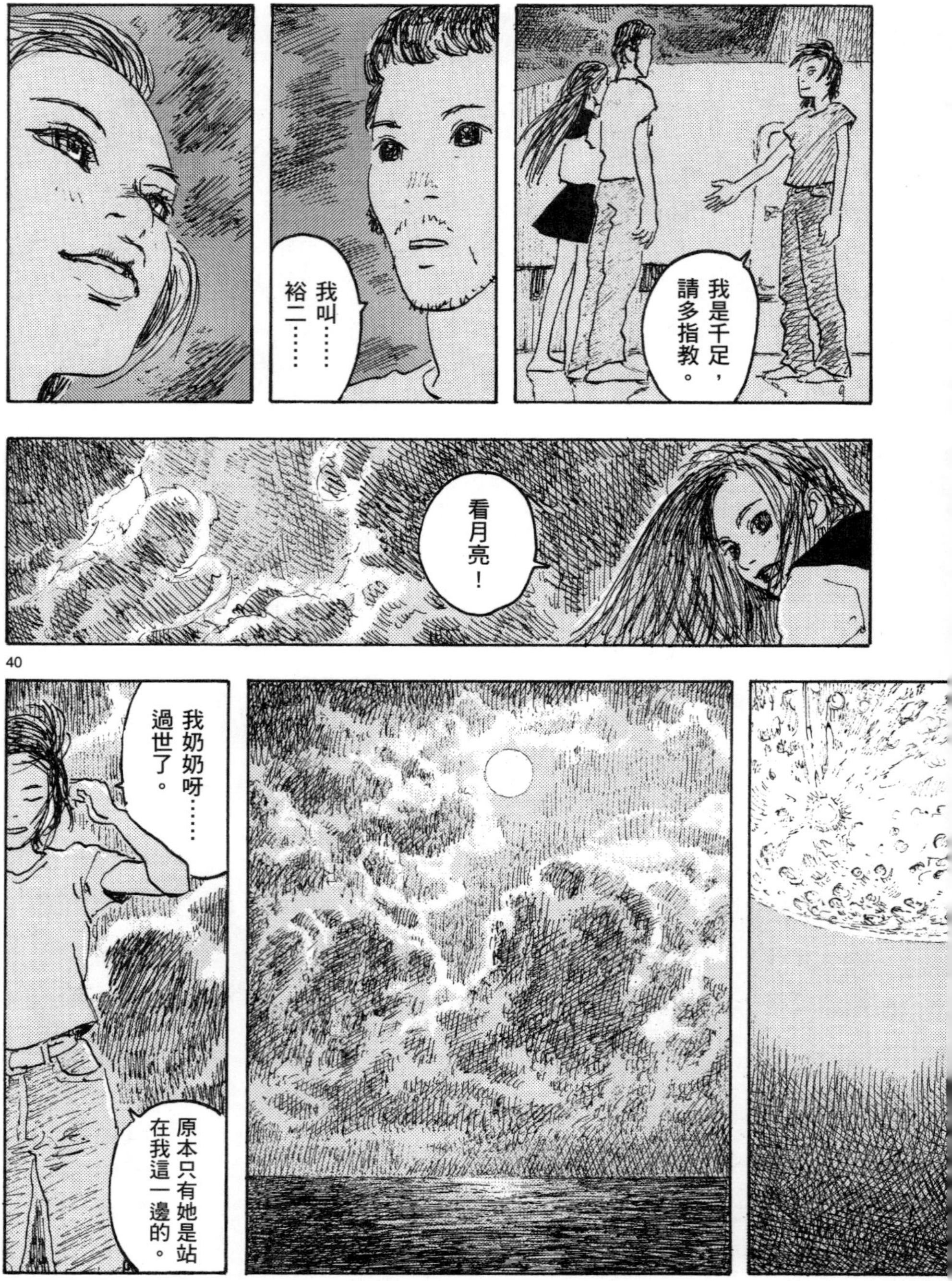
我是千足，請多指教。
我叫……裕二……
看月亮！
我奶奶呀……過世了。
原本只有她是站在我這一邊的。

40

我奶奶總是說，
「人死後會脫下人世的束縛，」
「變成原本的魂魄。這樣一來，用走的就可以上月亮了。」
她還說：「我會在月亮上向千足揮手喔。」
可是啊，
月亮實在太遙遠了，我看不到呢。
……
41
……今年，在我以前誕生的那個家中，
奶奶過世了。
在同樣的地方……

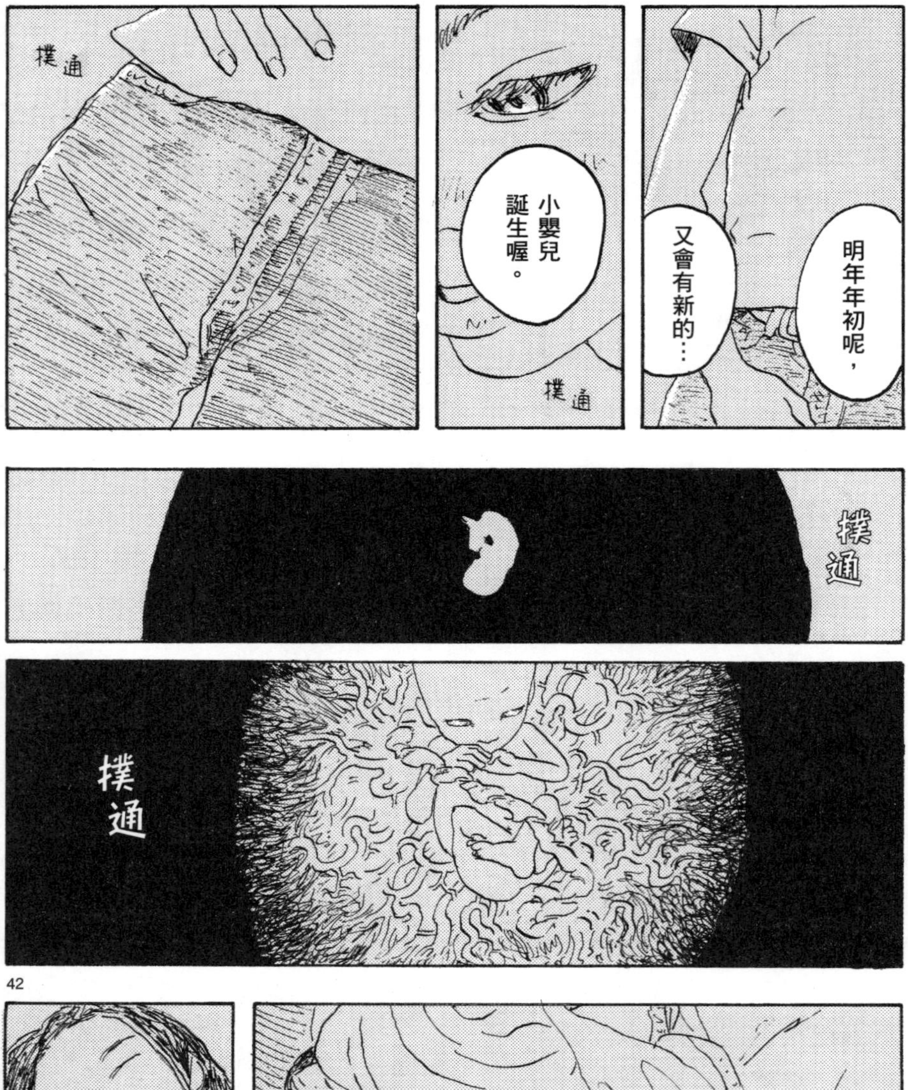
明年年初呢，
又會有新的……
小嬰兒誕生喔。
撲通
撲通
撲通
撲通
我肚子裡的小寶寶啊，

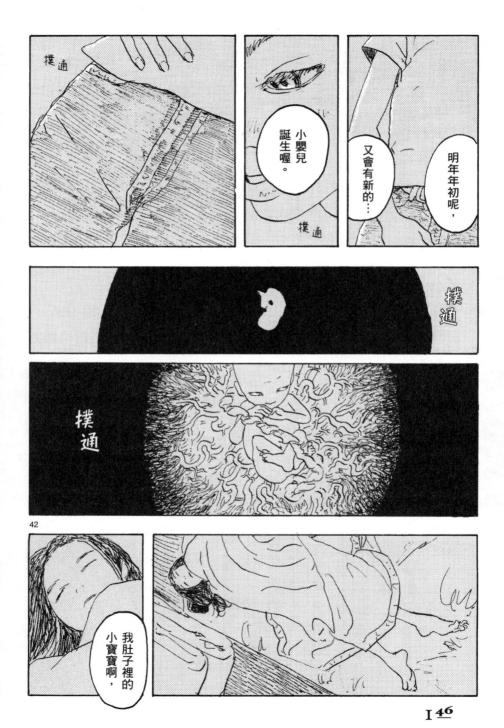

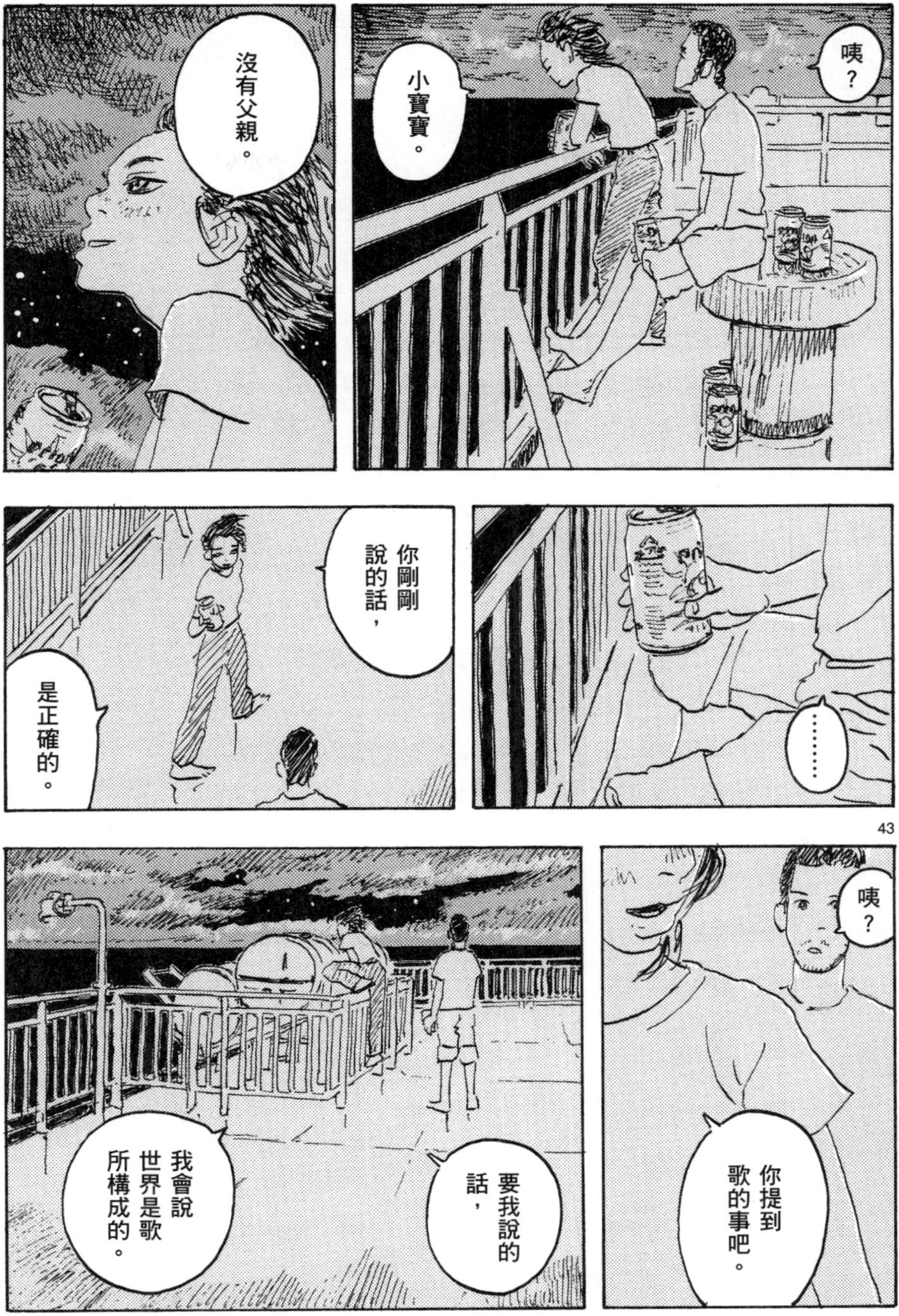
咦？
小寶寶。
沒有父親。
……
你剛剛說的話，
是正確的。
43
咦？
你提到歌的事吧。
要我說的話，
我會說世界是歌所構成的。

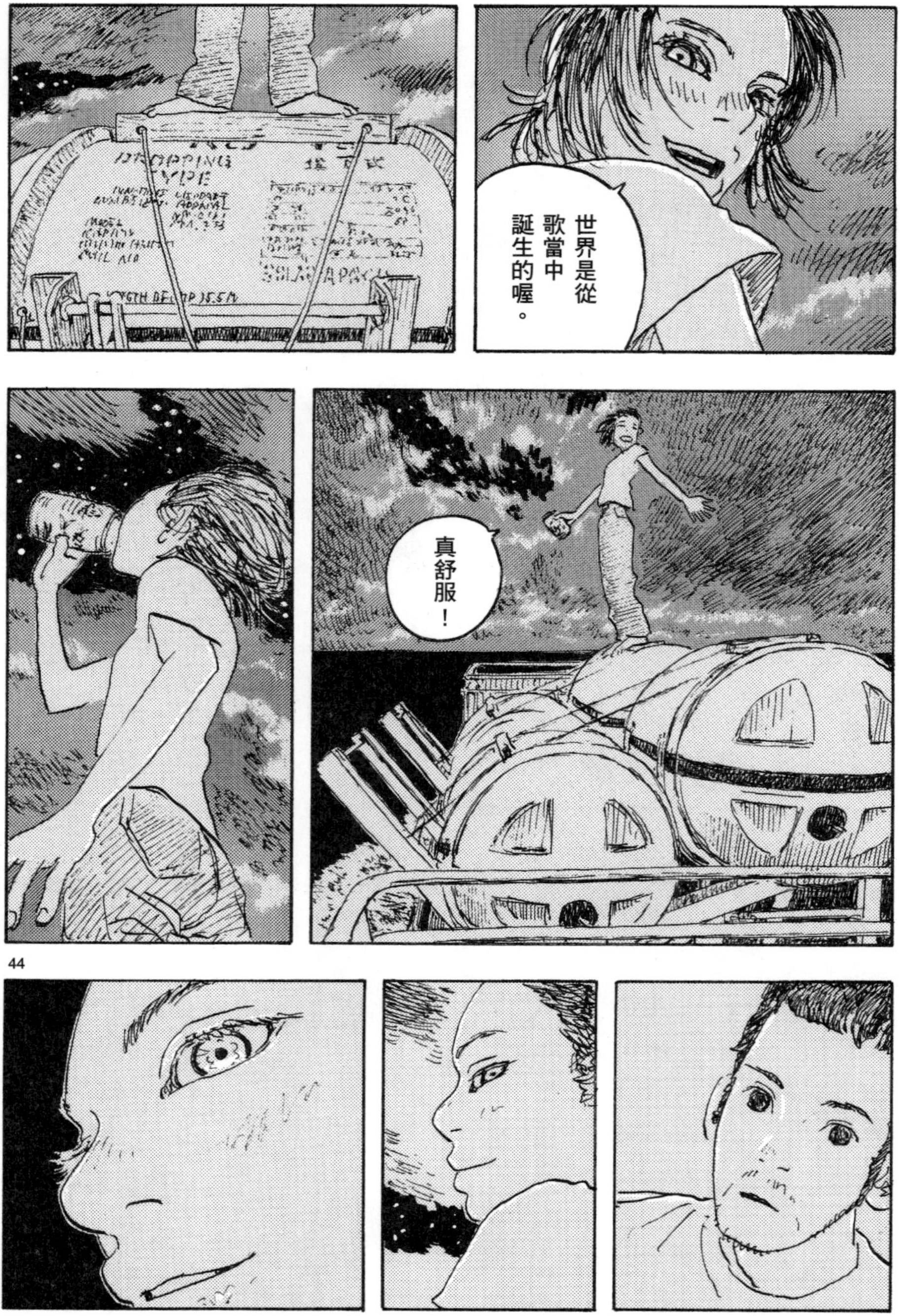

44

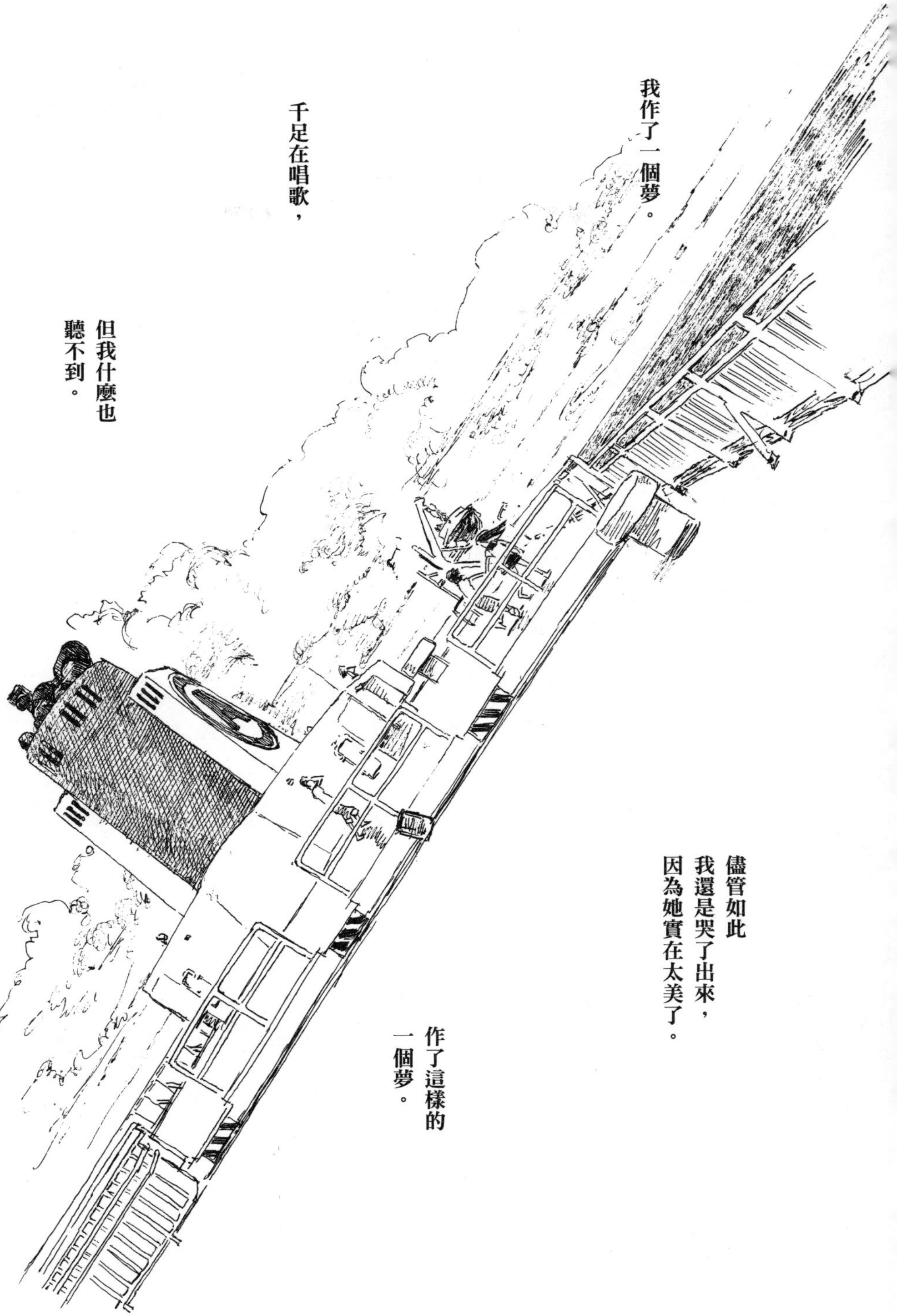
我作了一個夢。
千足在唱歌，
但我什麼也聽不到。
儘管如此
我還是哭了出來，
因為她實在太美了。
作了這樣的
一個夢。

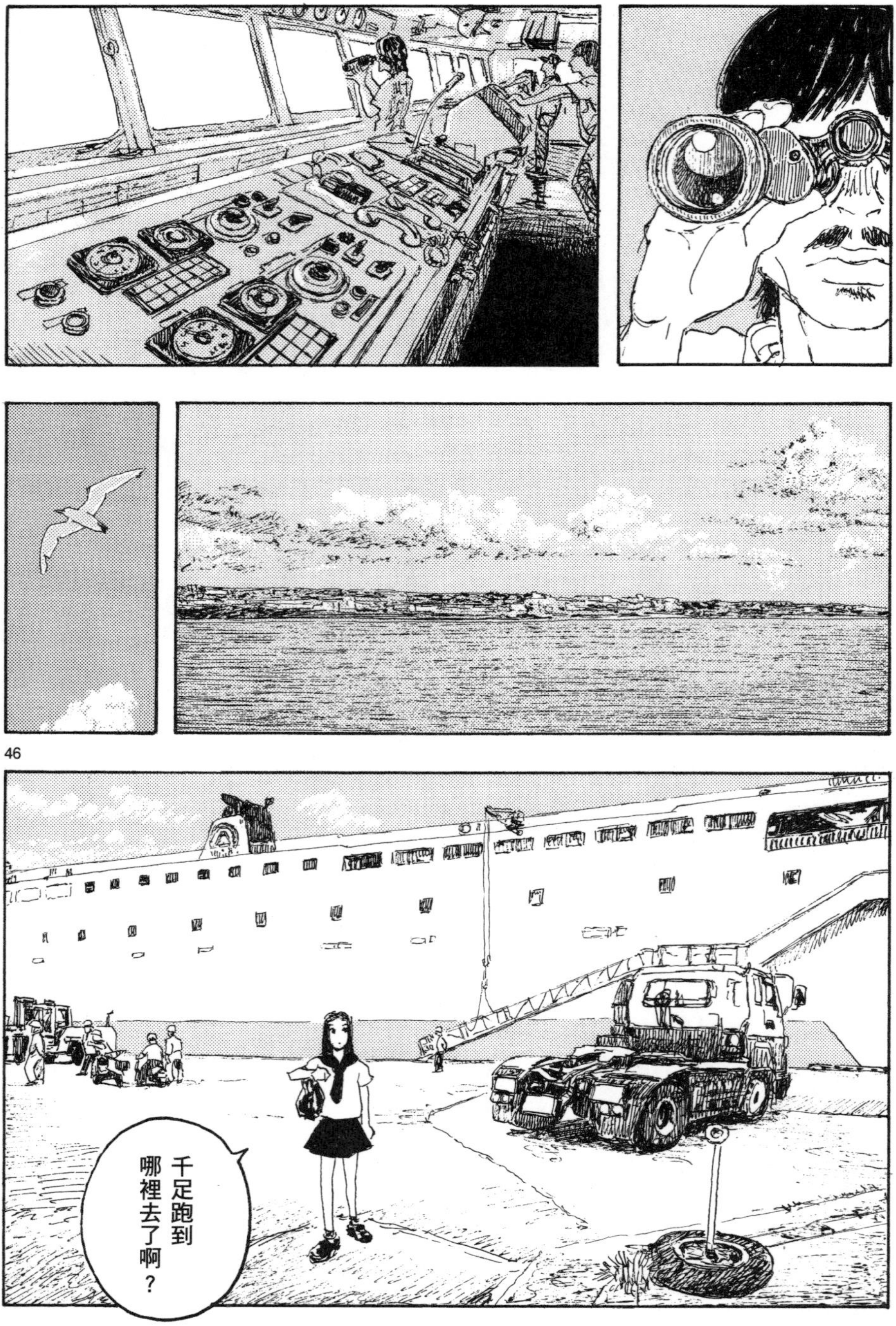
千足跑到哪裡去了啊？

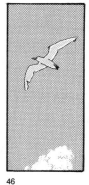

已經走了嗎……
可是，她說會告訴我聯絡方式啊。
裕二又跑哪去了呢？
……
海真棒啊……感覺超滿足的。
47
也沒什麼想看的地方，要直接……
搭船回去嗎？
我可以……一直看著海。
……
不過得買替換的衣服才行。
也幫裕二買個新衣吧。
不過他們就這樣……

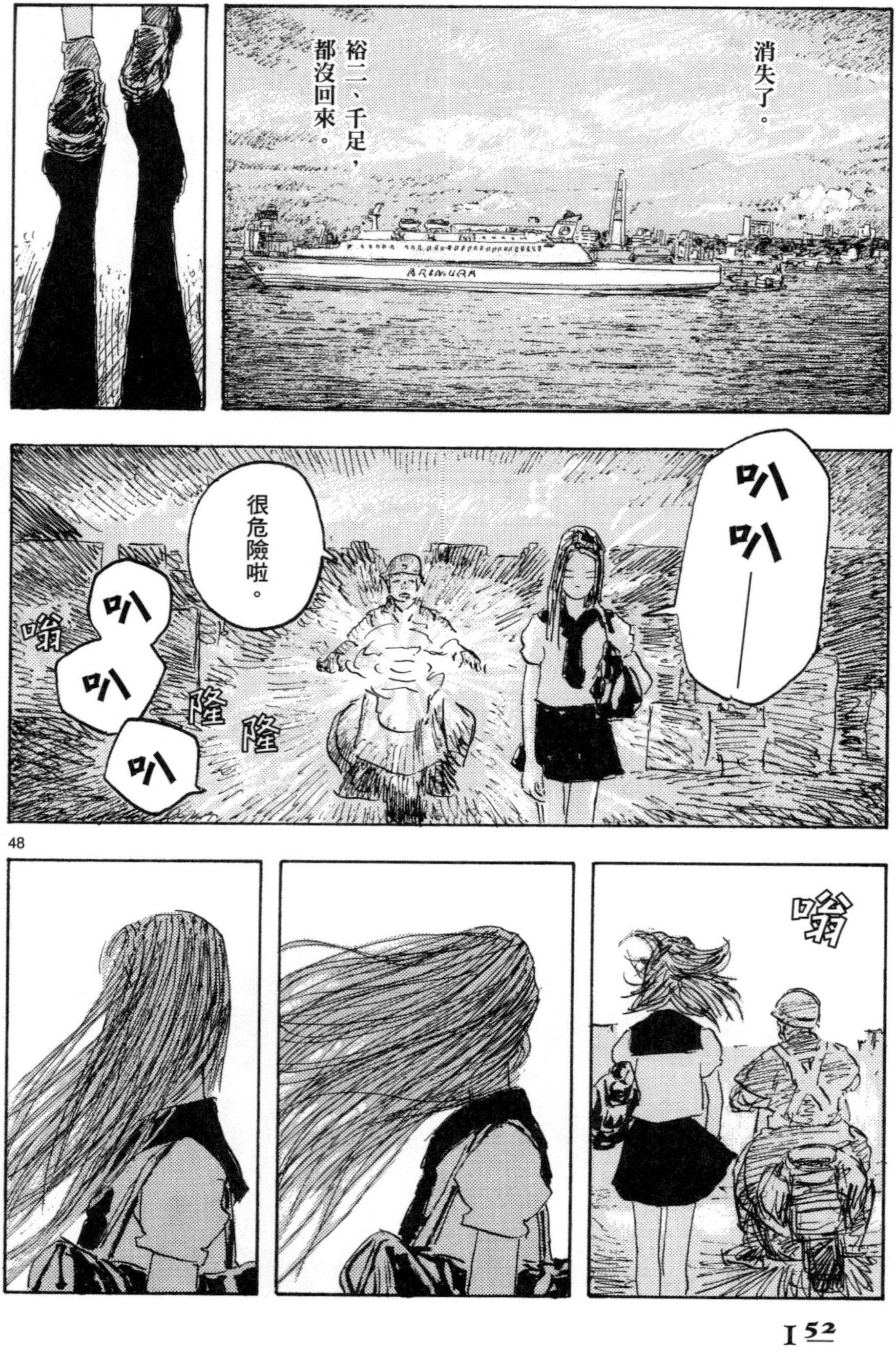
消失了。
裕二、千足，都沒回來。
叭叭——
很危險啦。
叭叭叭
嗡
隆隆
嗡

48

49

沙
轟轟轟
噠噠噠噠

那座島，是無人島。
定期船也不會過去。不過，
51
在大潮乾潮時……
可以從對面的島……
走路過去。
「雖然會弄濕身體啦。」
……就是它了。

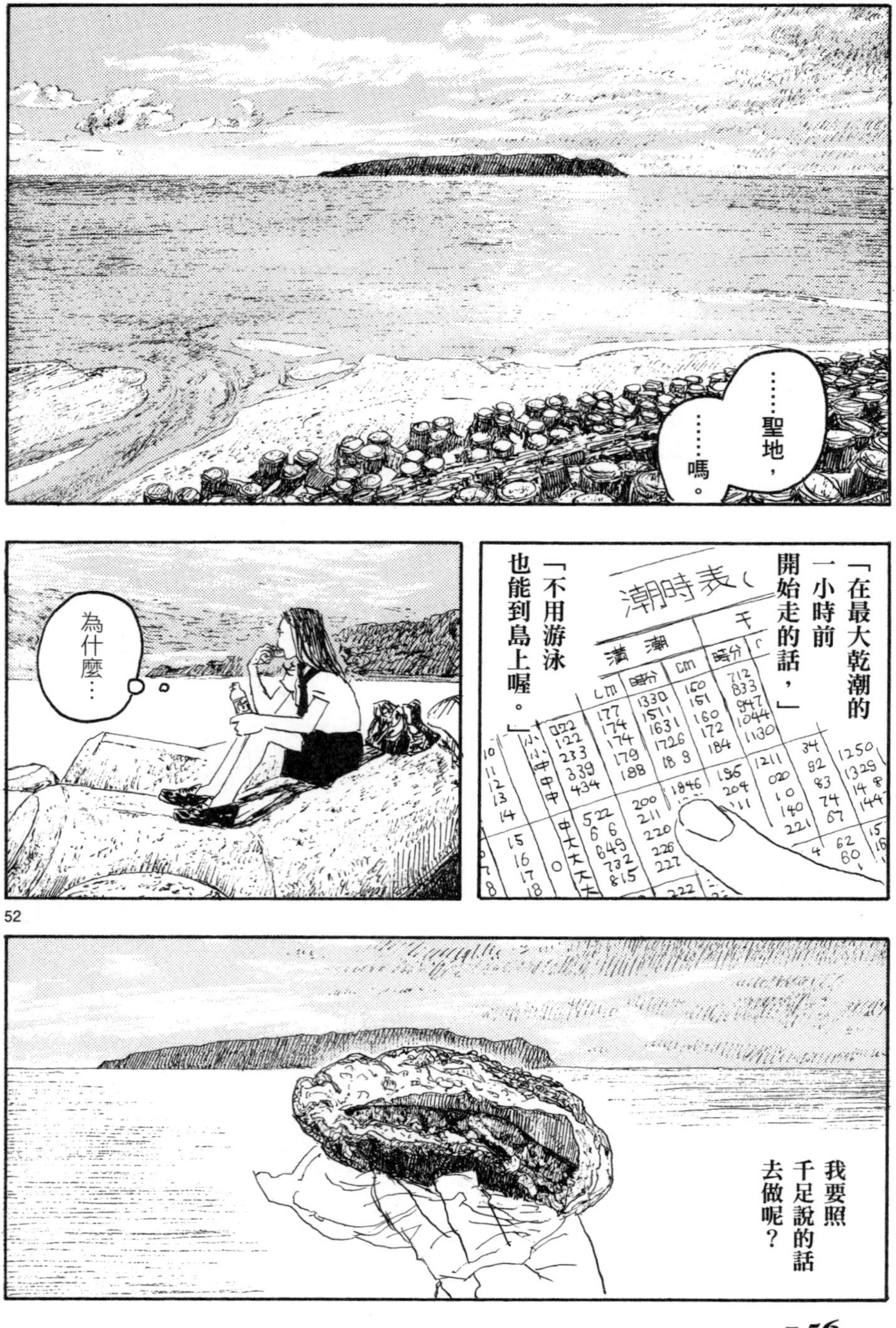
……聖地，
……嗎。
「在最大乾潮的一小時前開始走的話，」
「不用游泳也能到島上喔。」
潮時表
為什麼……
我要照千足說的話去做呢？

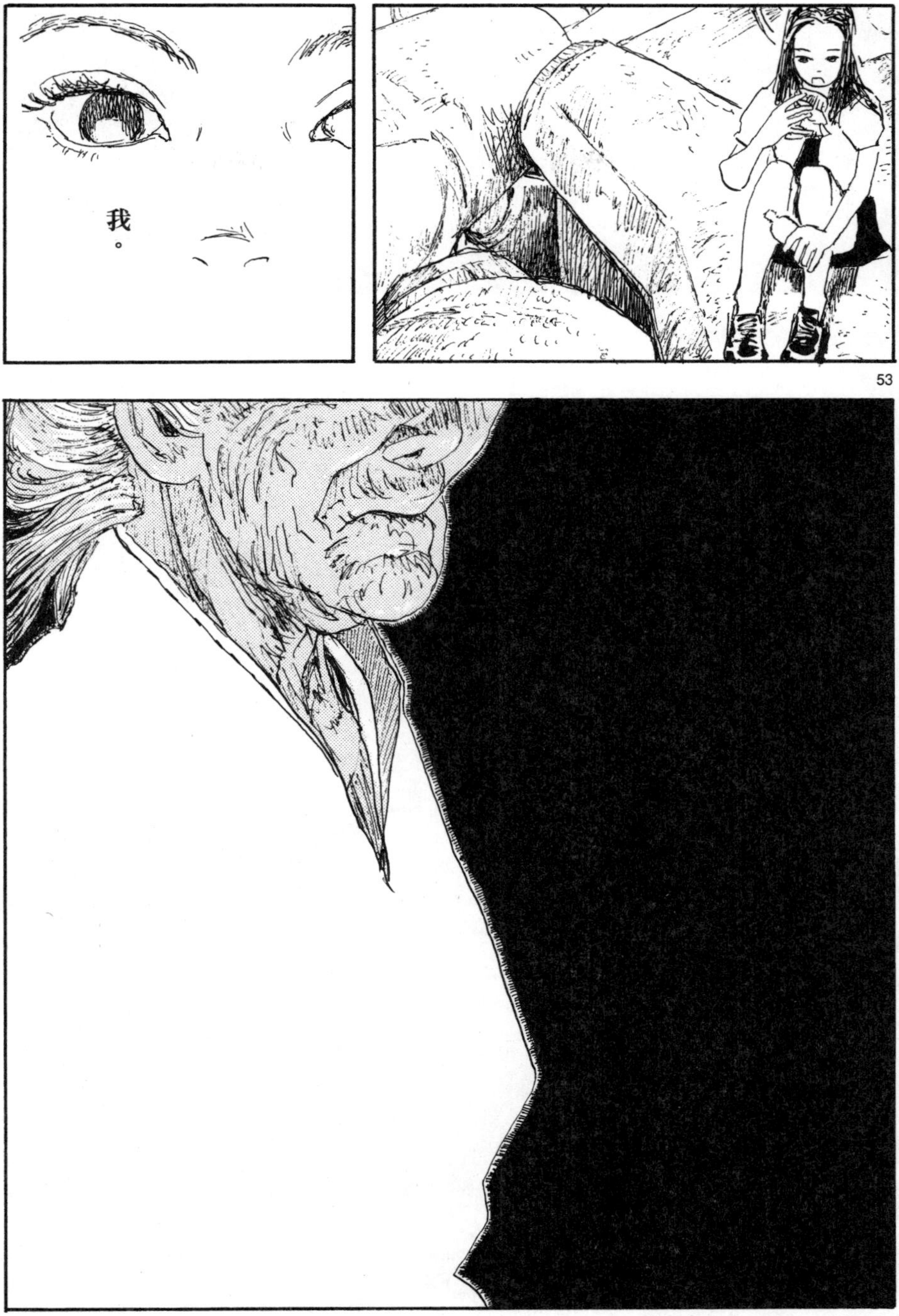
我。

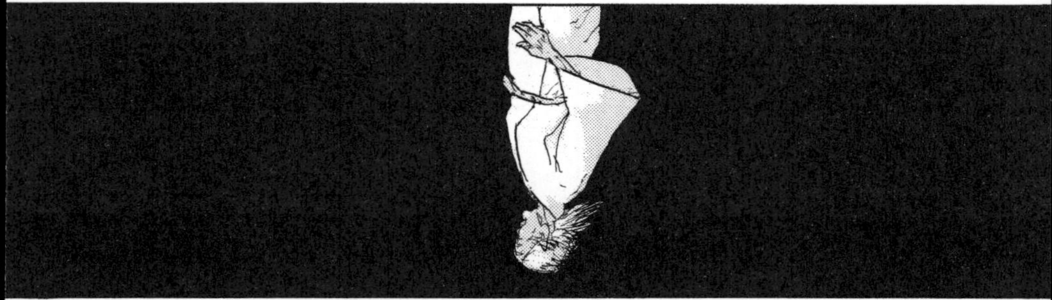

55

就開始
漲潮的話……
呼。
呼。
嘩啦
呼。
嘩啦
嘩啦
嘩啦
咕嚕

……呵。
大腿根部好痛……
好久沒有……像這樣，
運用身體了……
…好厲害。
就這樣，我真的……
用走的渡海了……
啾囉囉囉囉囉囉囉囉

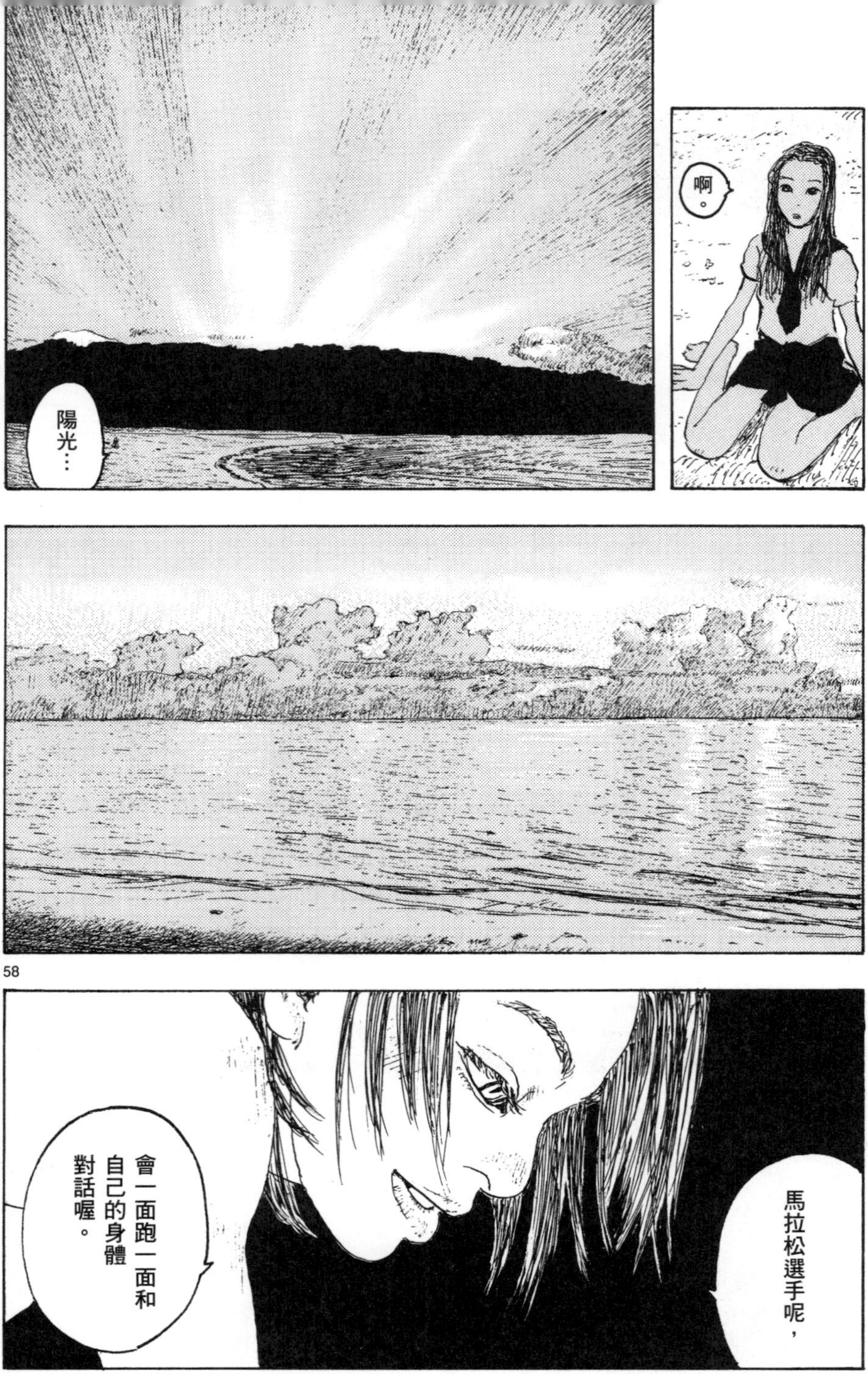
啊。
陽光…
馬拉松選手呢，
會一面跑一面和自己的身體對話喔。

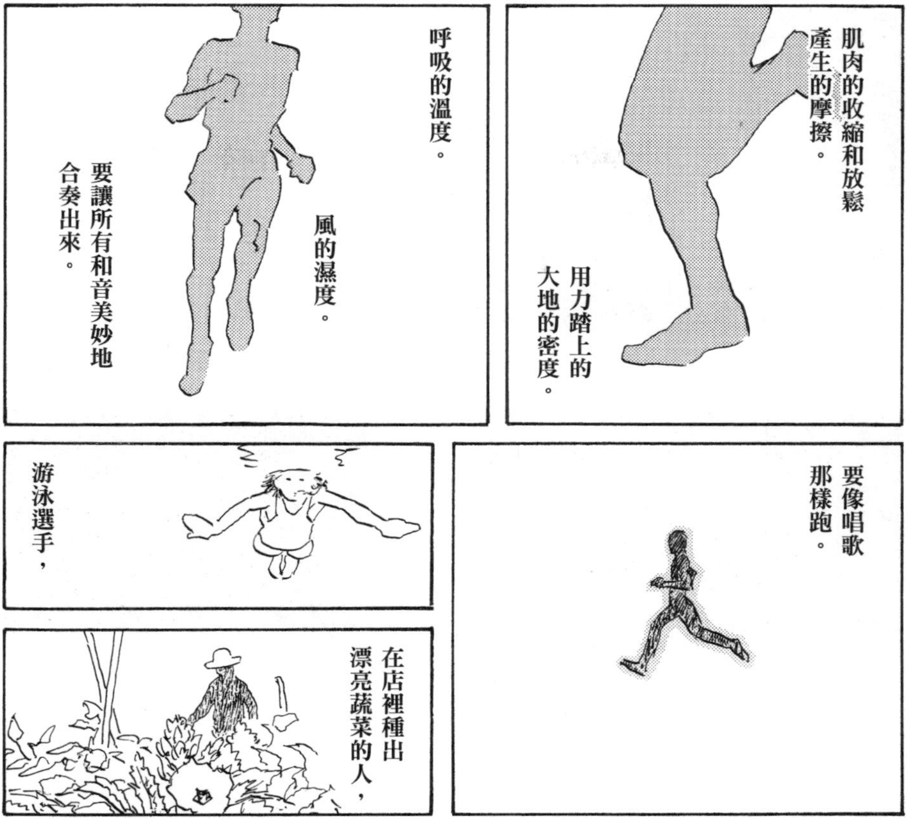
肌肉的收縮和放鬆產生的摩擦。
用力踏上的大地的密度。
呼吸的溫度。
風的濕度。
要讓所有和音美妙地合奏出來。
要像唱歌那樣跑。
游泳選手，
在店裡種出漂亮蔬菜的人，

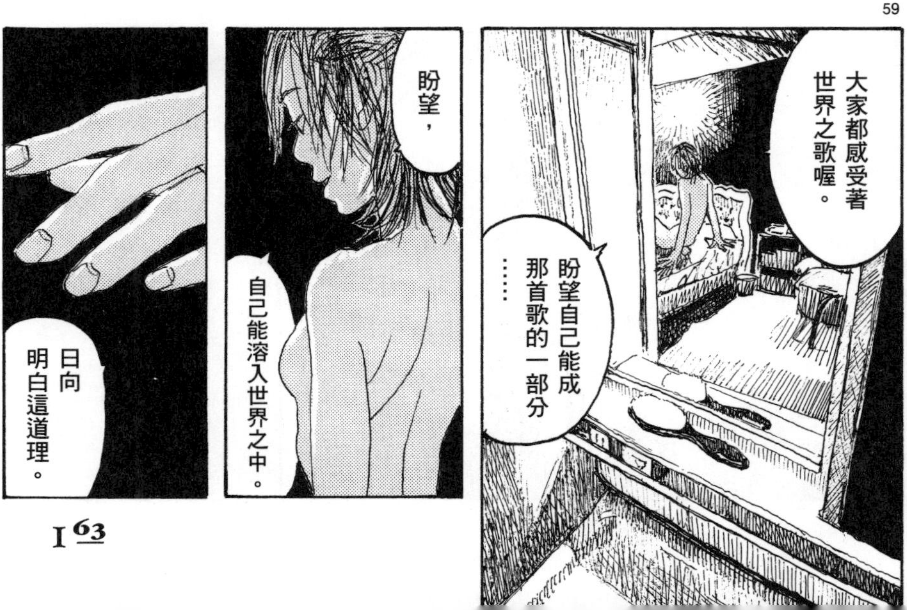
大家都感受著世界之歌喔。
盼望自己能成那首歌的一部分……
盼望，
自己能溶入世界之中。
日向明白這道理。

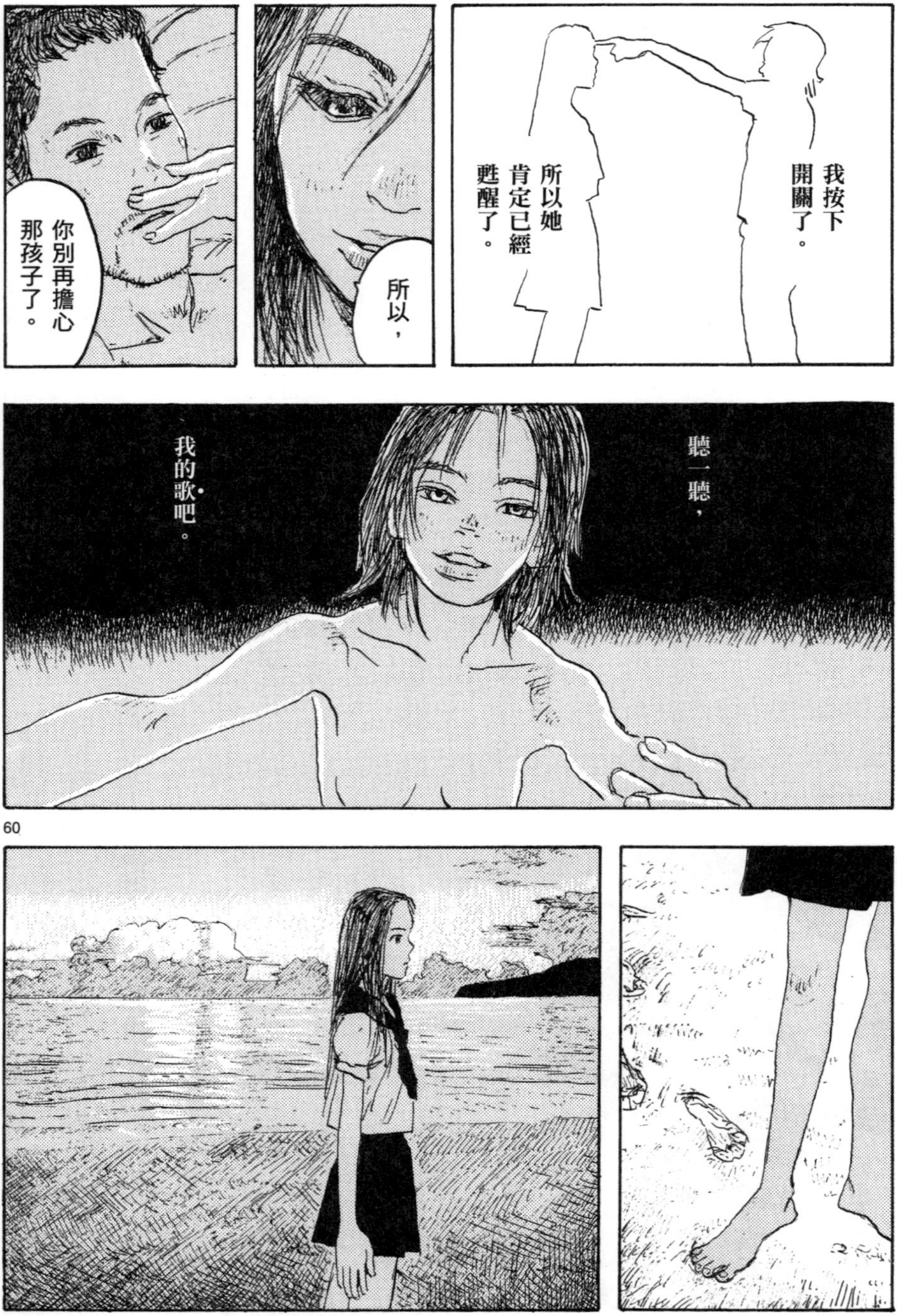
我按下開關了。
所以她肯定已經甦醒了。
所以，
你別再擔心那孩子了。
聽一聽，
我的歌吧。

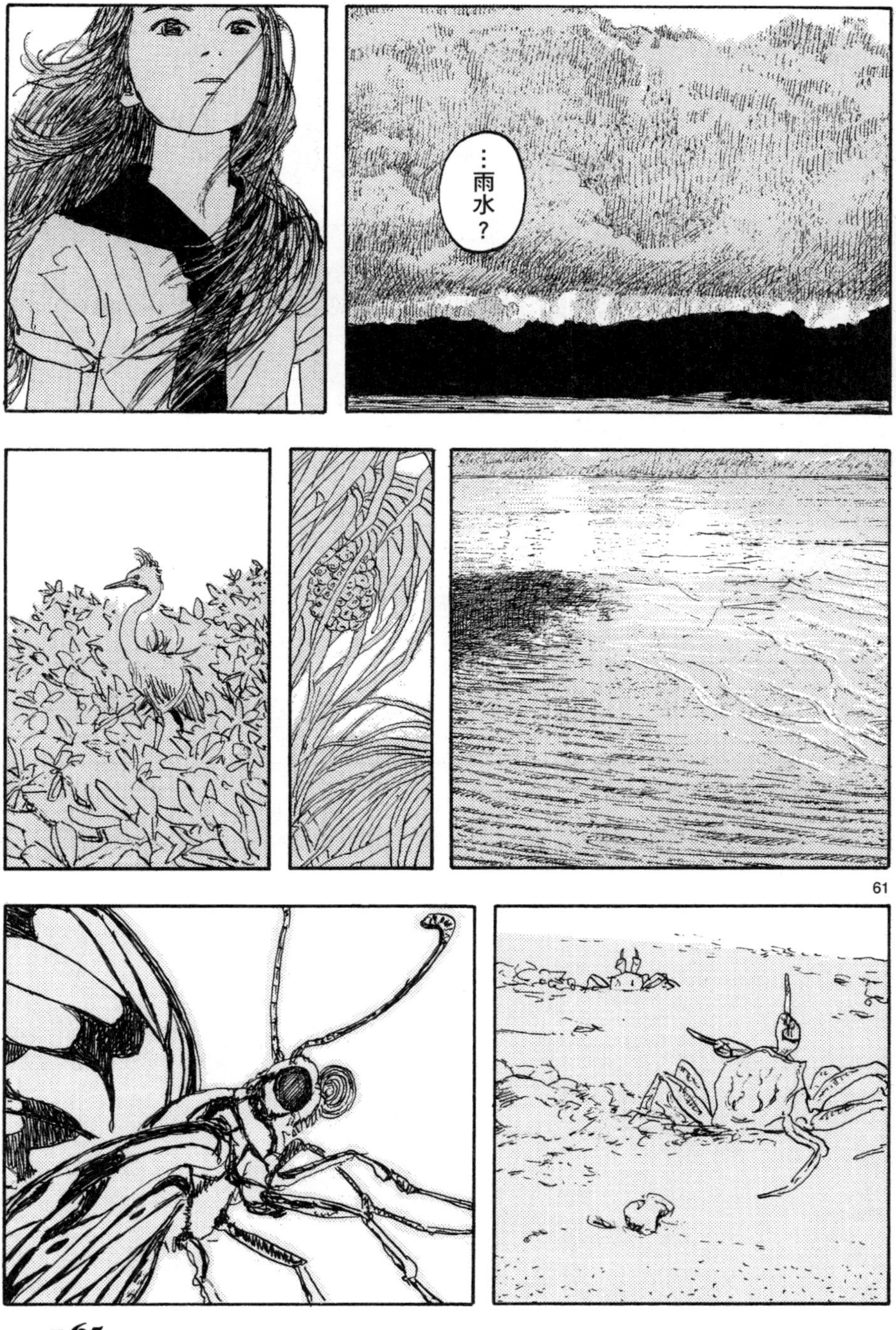
…雨水？

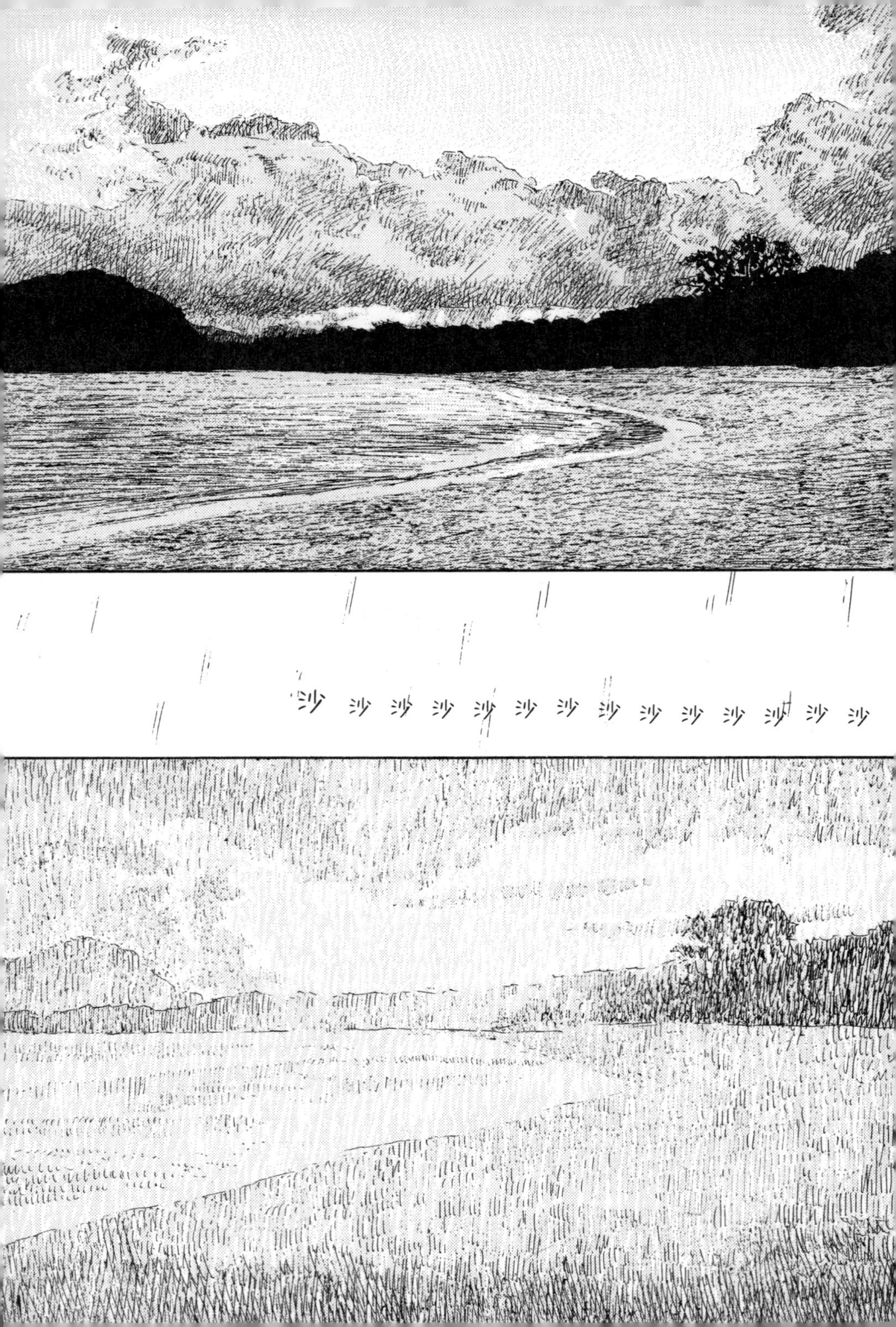
沙沙沙沙沙沙沙沙沙沙沙沙沙沙

64

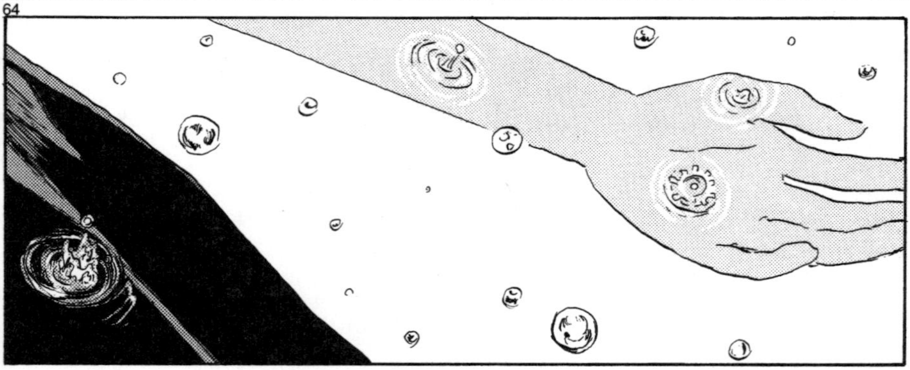

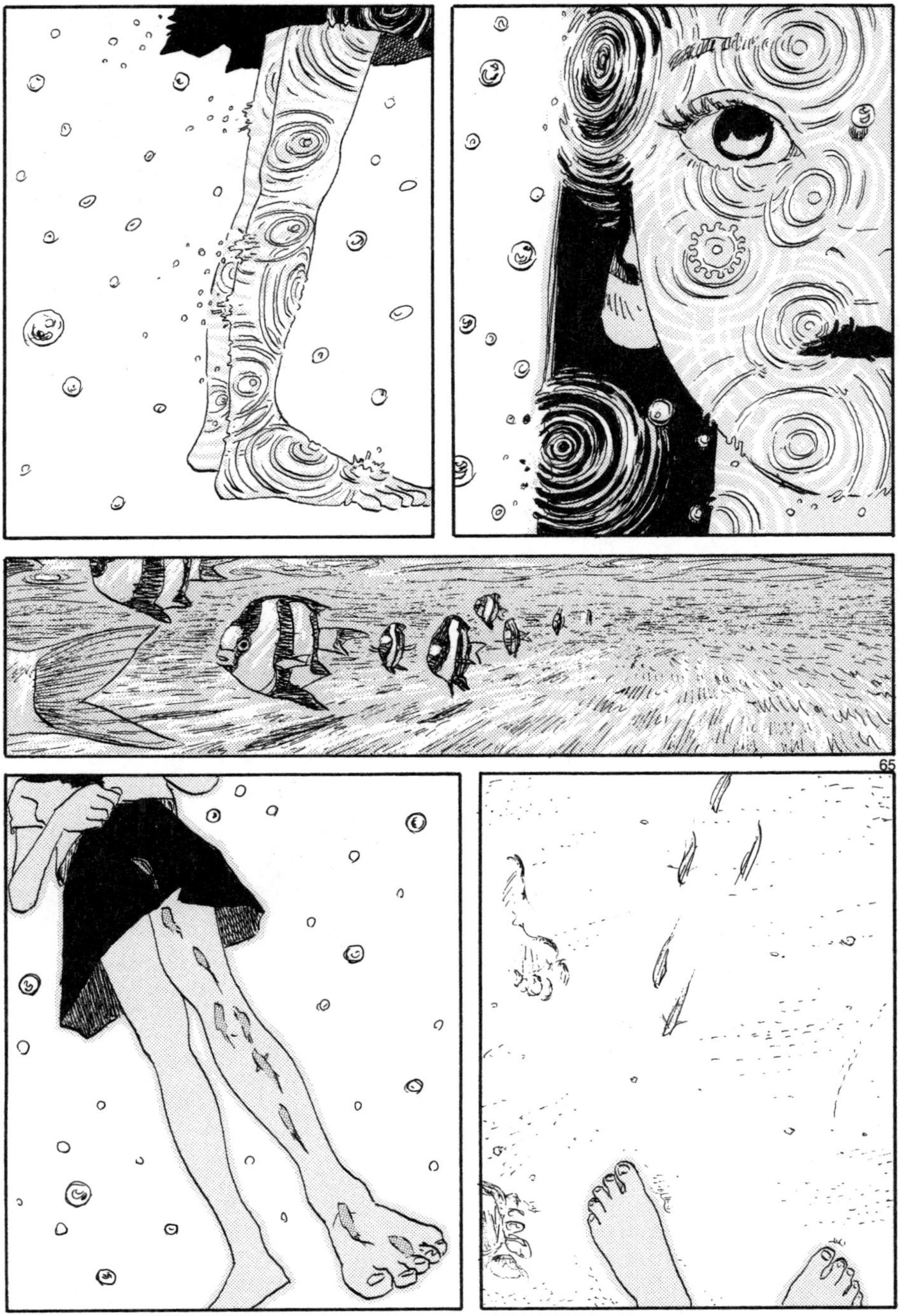

!
啵
啵

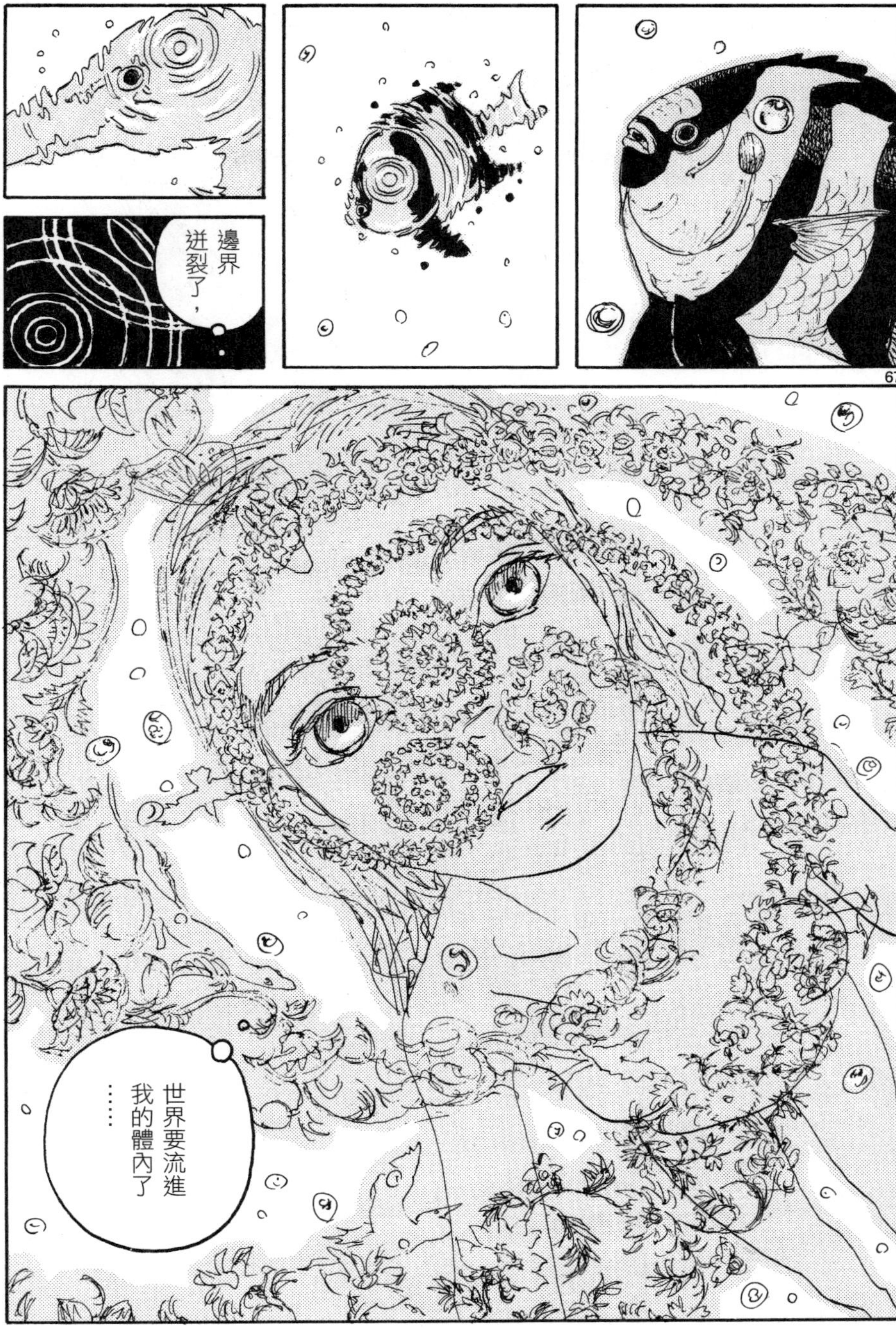
邊界迸裂了，
67
世界要流進我的體內了……

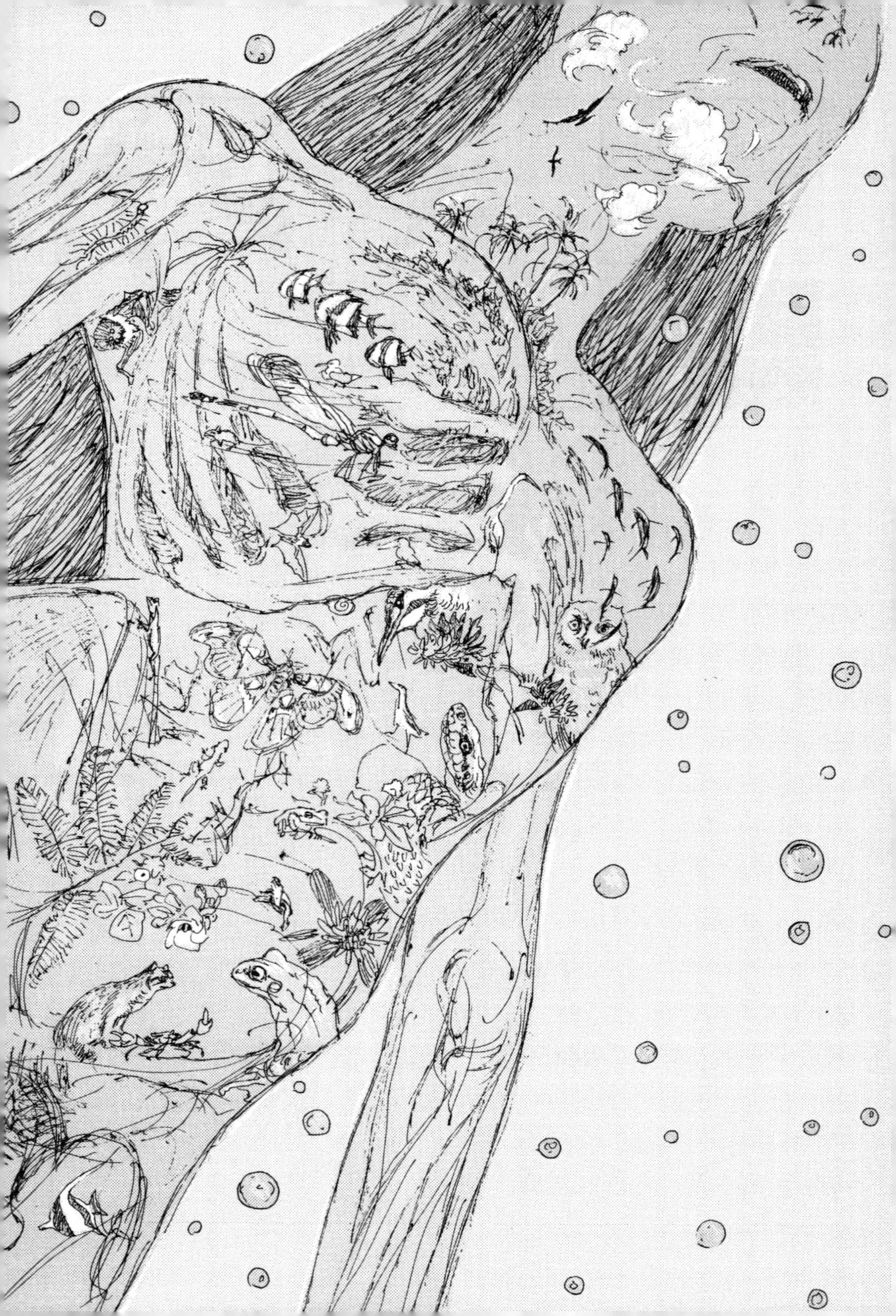

……又或許，
是我溶入我外頭的世界了。
回過神來，我發現，自己大聲唱著歌。

也許溶入
雨中的我，
化成了一首歌。

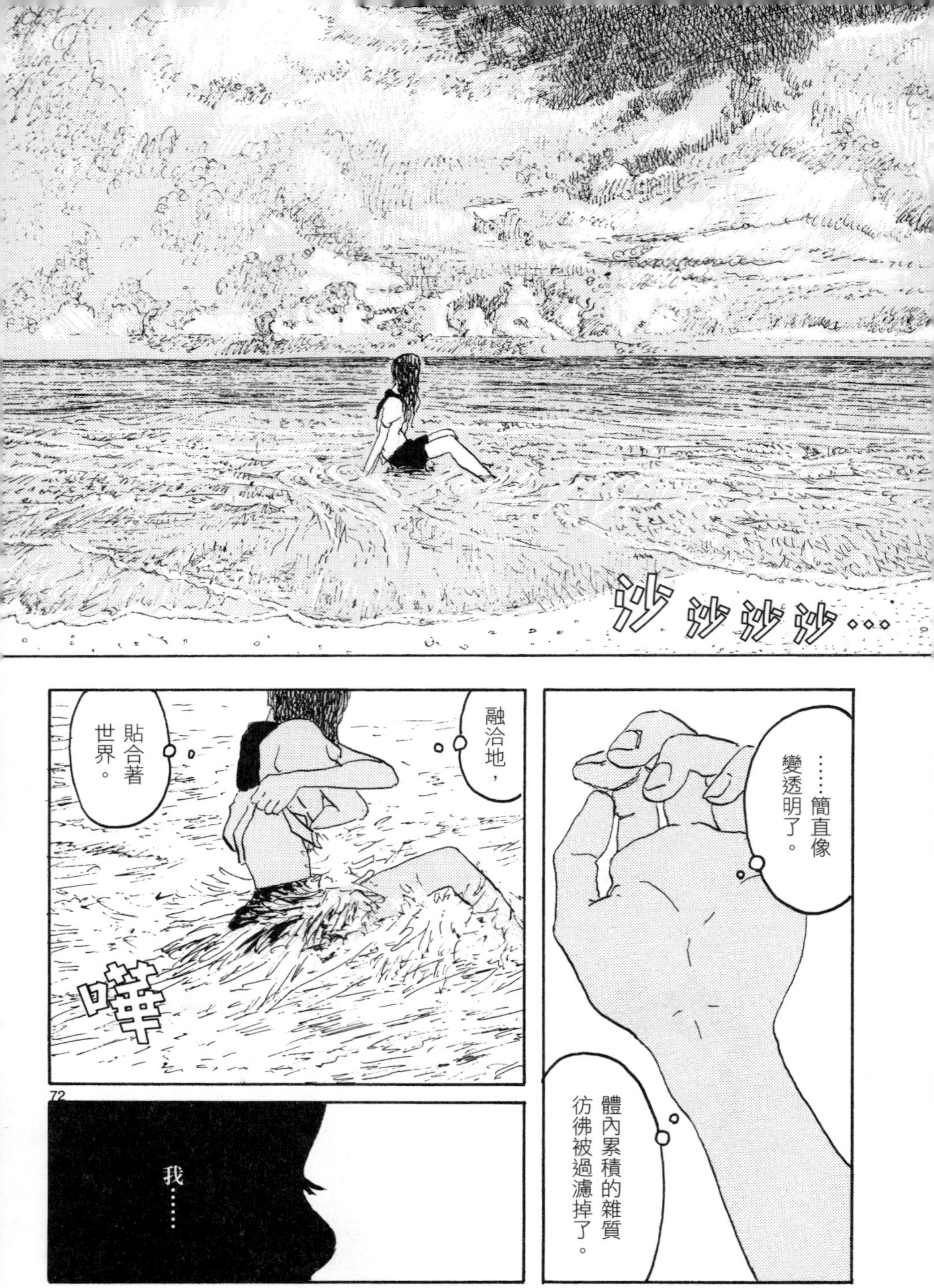
沙沙沙沙…
……簡直像變透明了。
體內累積的雜質彷彿被過濾掉了。
融洽地，
貼合著世界。
嘩
我……

或許重生了
也不一定。

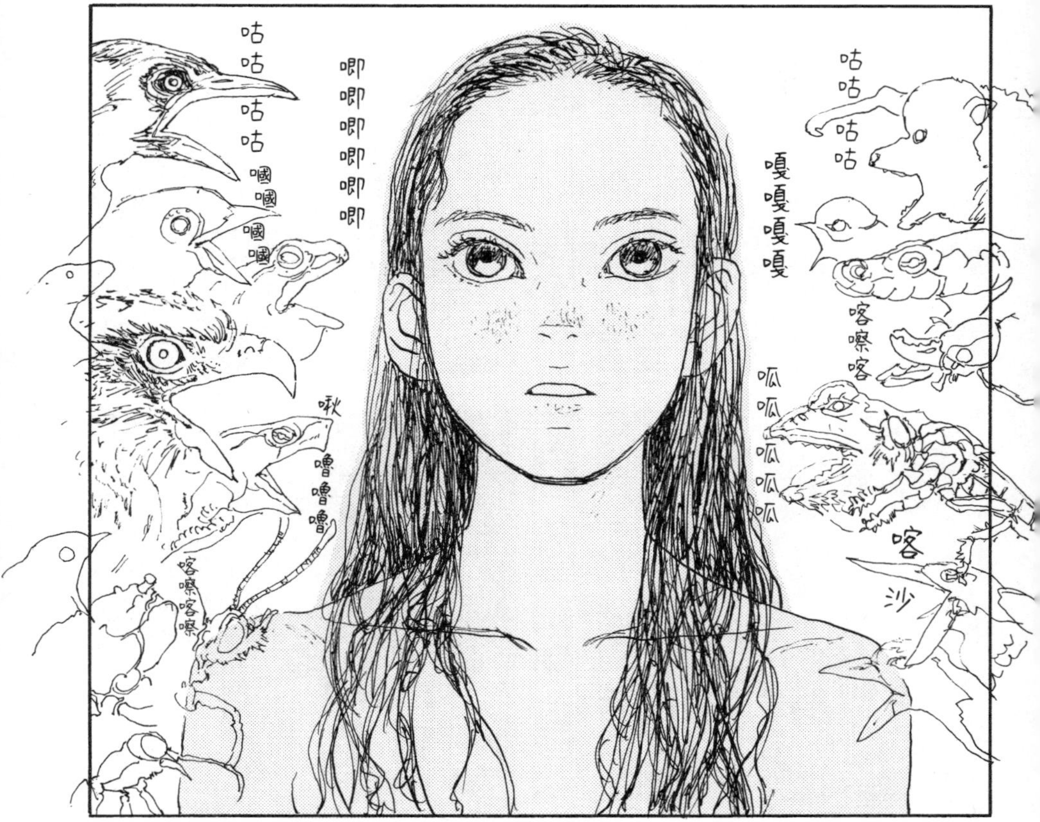
咕咕咕咕
嘎嘎嘎嘎
喀嚓喀
呱呱呱呱呱
喀
沙
唧唧唧唧唧唧
咕咕咕咕
嘓嘓嘓嘓
啾
嚕嚕嚕
喀嚓喀嚓

我受到
如此祝福，
是因為
我現在的成分
和這座島嶼相同。

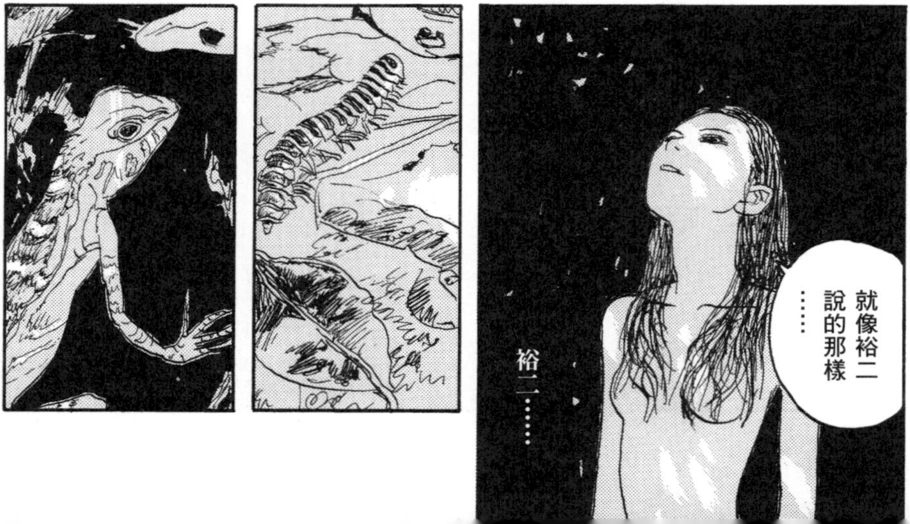
就像裕二
說的那樣
……
裕二……

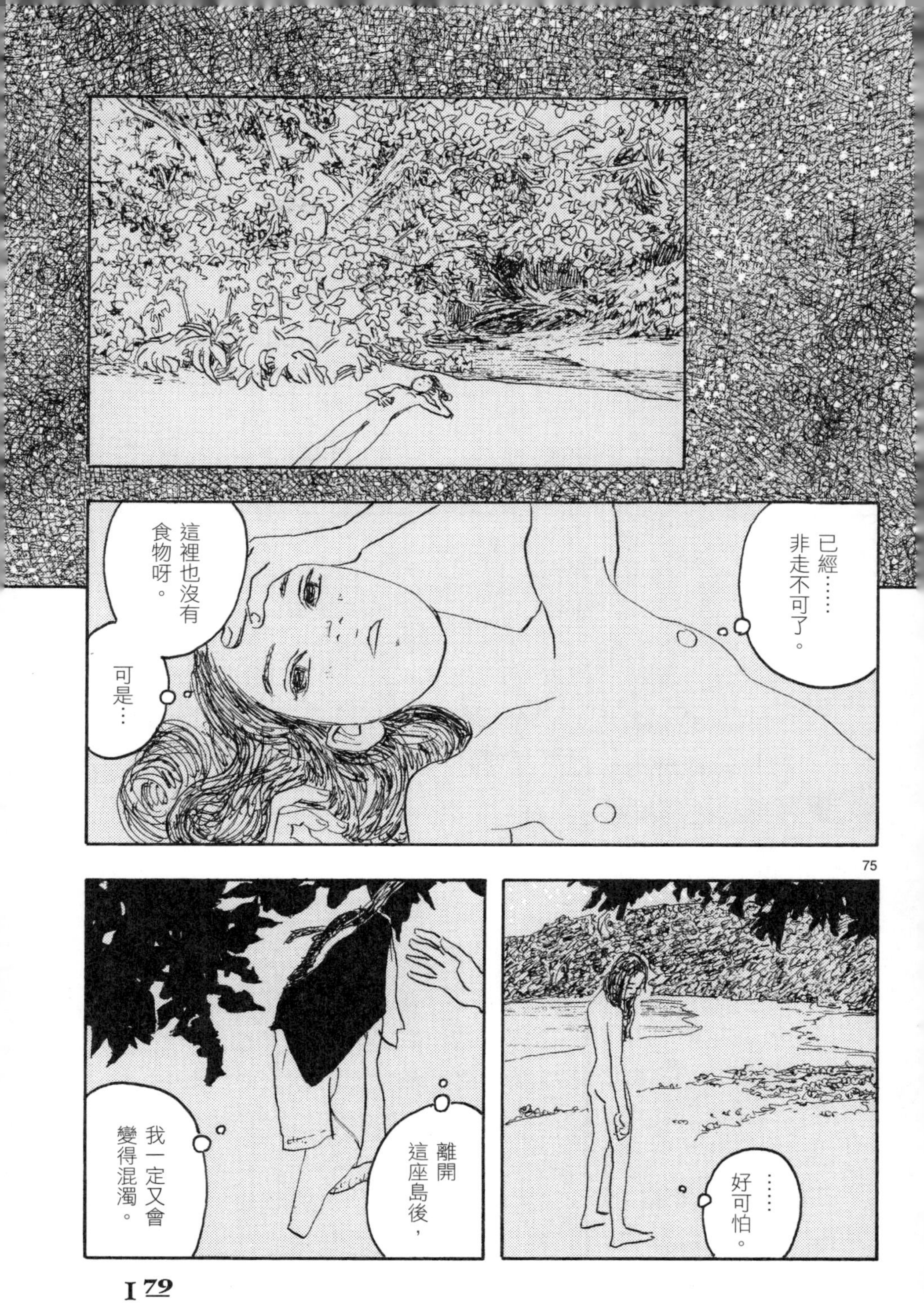
已經……非走不可了。
這裡也沒有食物呀。
可是……
……好可怕。
離開這座島後，
我一定又會變得混濁。

75

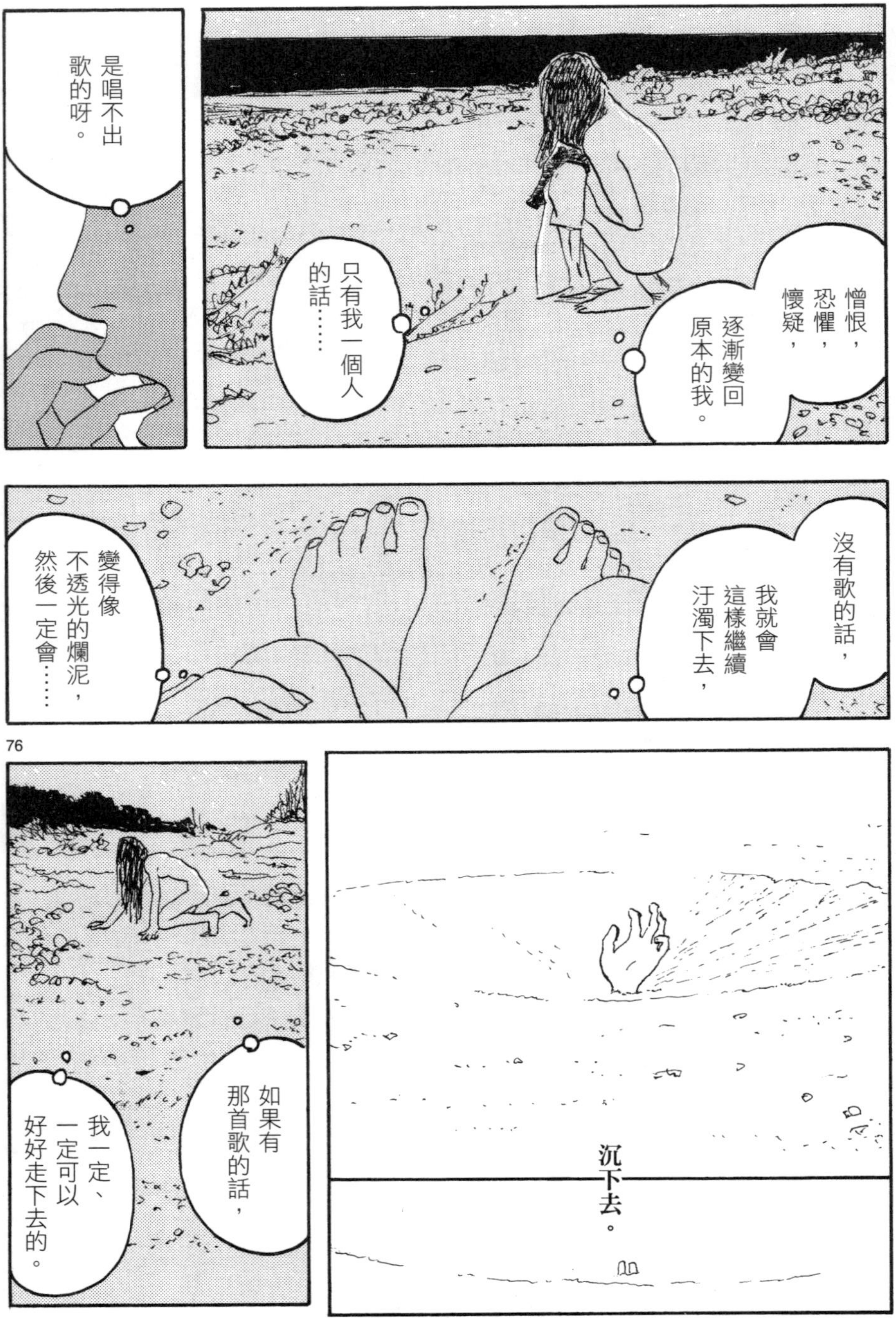
憎恨，恐懼，懷疑，逐漸變回原本的我。
只有我一個人的話……
是唱不出歌的呀。
沒有歌的話，我就會這樣繼續汙濁下去，
變得像不透光的爛泥，然後一定會……
沉下去。
如果有那首歌的話，
我一定、一定可以好好走下去的。

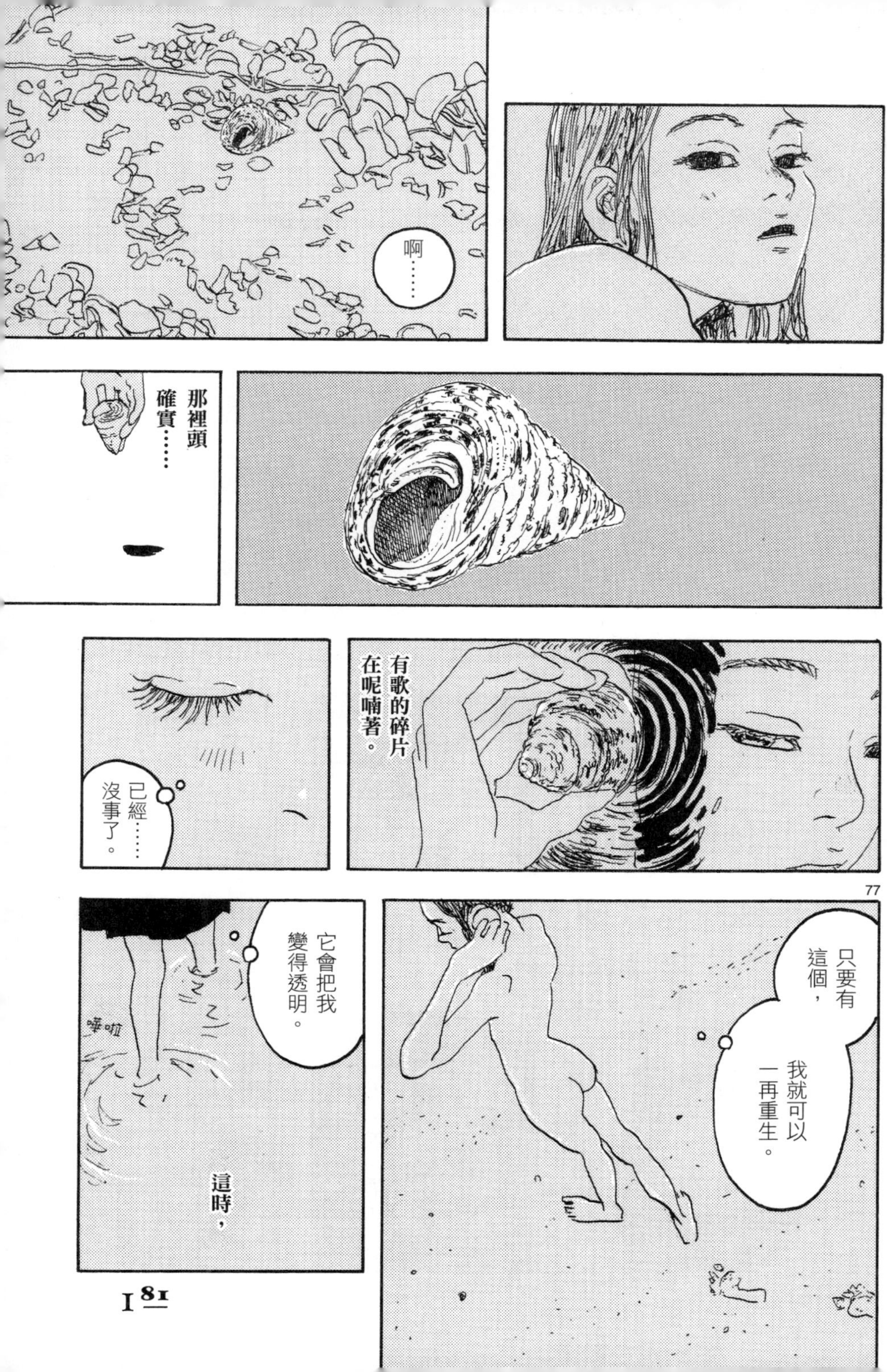

啊……
那裡頭確實……
有歌的碎片在呢喃著。
已經……沒事了。
只要有這個，
我就可以一再重生。
它會把我變得透明。
嘩啦
這時，

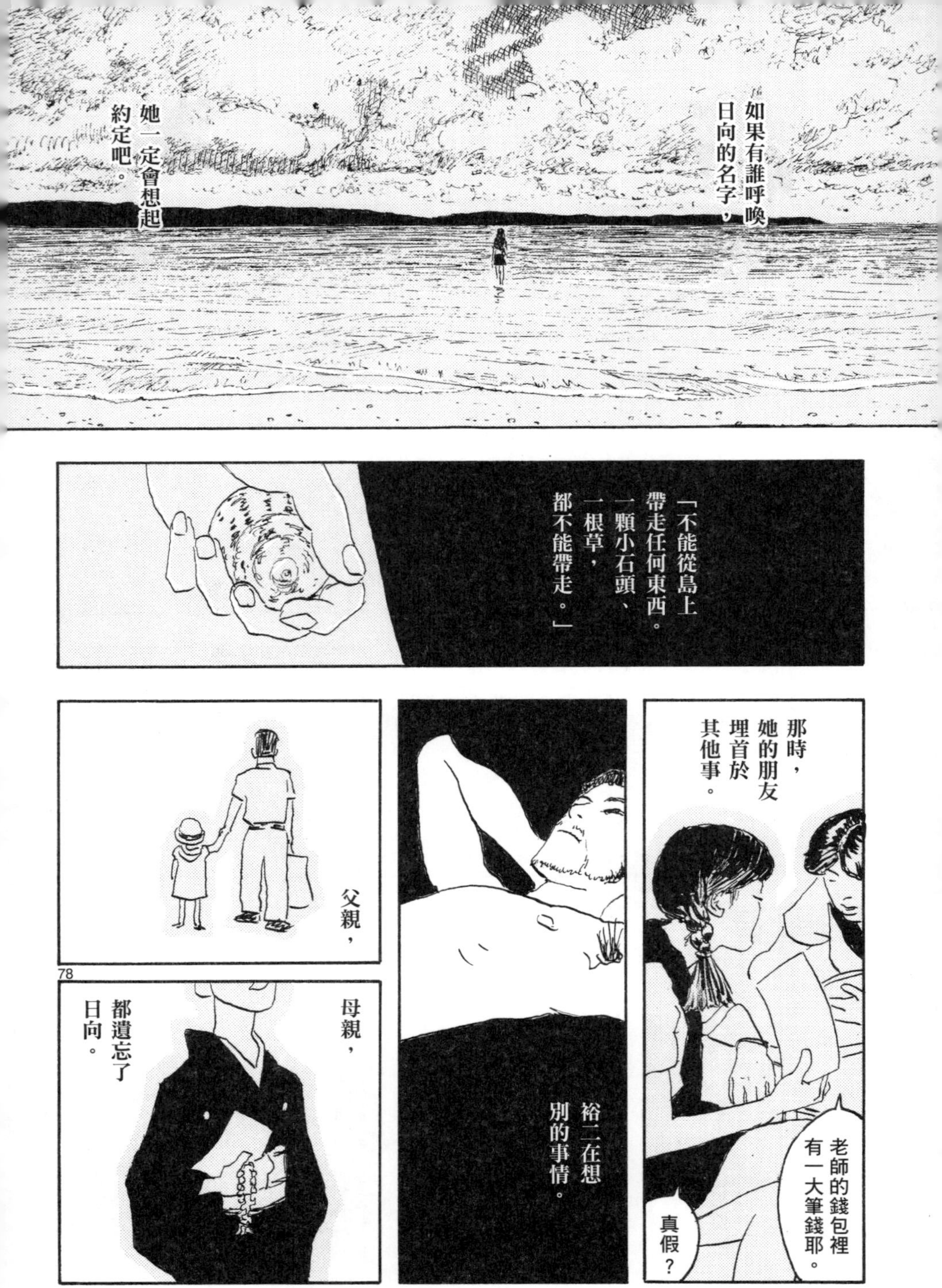
如果有誰呼喚日向的名字，
她一定會想起約定吧。
「不能從島上帶走任何東西。一顆小石頭、一根草，都不能帶走。」
那時，她的朋友埋首於其他事。
老師的錢包裡有一大筆錢耶。
真假？
裕二在想別的事情。
父親，
78
母親，
都遺忘了日向。

千足，
嚓
那時發現了。
…卻默不作聲。
窣
我明明說一定要遵守…
？
窣
……那孩子的祝福會和名字一同被沒收。
那孩子破壞了約定，
以後再也不會有人呼喚她的名字了。

兹兹兹⋯⋯
隆
隆

茲茲茲茲茲茲…

和聲跑掉了。

東北 30km/h
氣壓 998hPa
風速 30m/s
21日9時
20日3時
…日形成的十二號颱風，
強度不減、直線前進，
根據預測，它很快就會登陸。
最大瞬間風速達到每秒三十公尺。
非常危險，請務必避免外出……
颱風是歌吧。
巨大的歌。

歌會和身體共振，
所以颱風一接近，大家就會心跳加速。
將南風，
以及島上雨水運送過來的，
巨大的能量。

你是來拿回這個的吧？

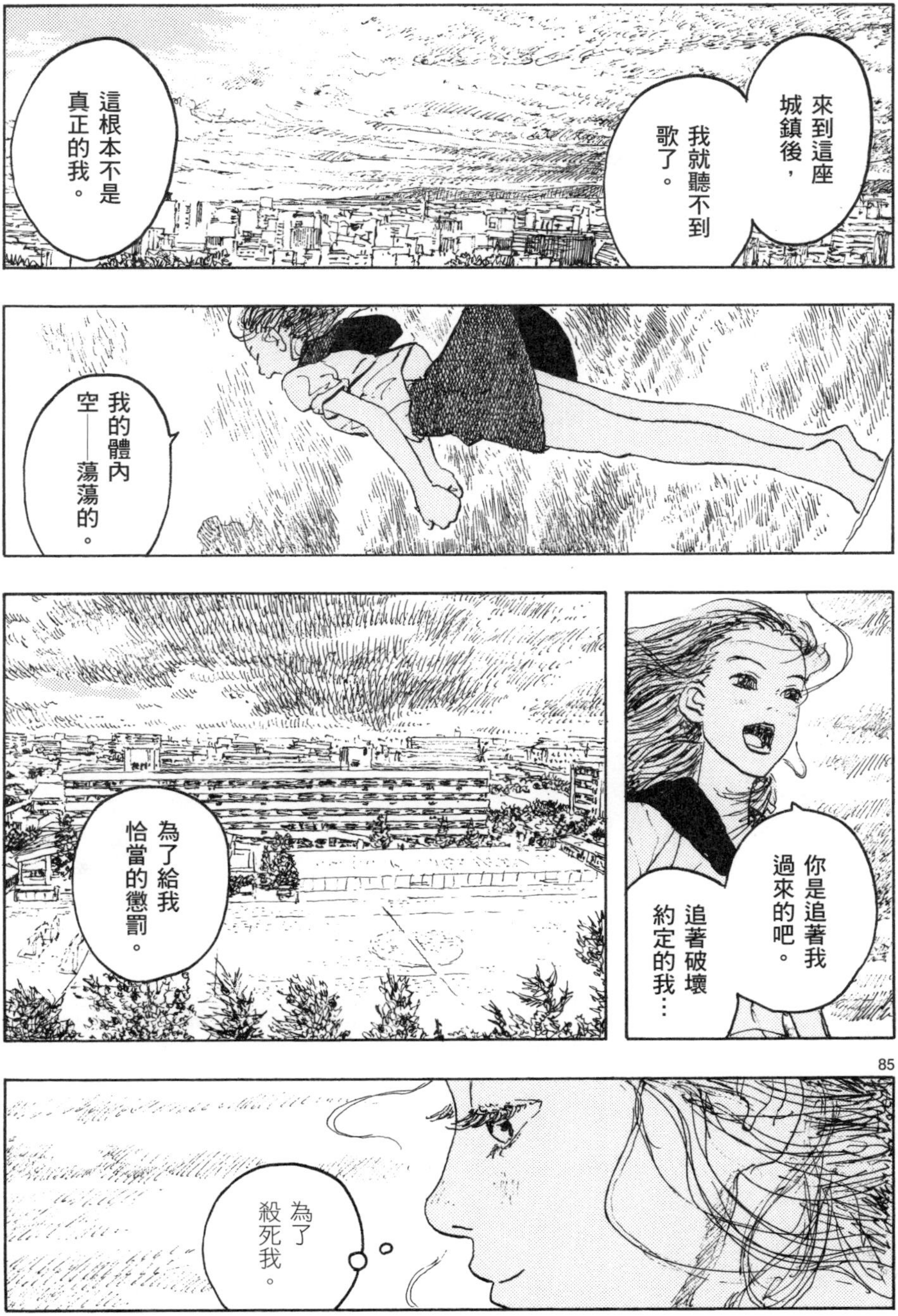
來到這座城鎮後，我就聽不到歌了。
這根本不是真正的我。
我的體內空——蕩蕩的。
你是追著我過來的吧。
追著破壞約定的我…
為了給我恰當的懲罰。
85
為了殺死我。

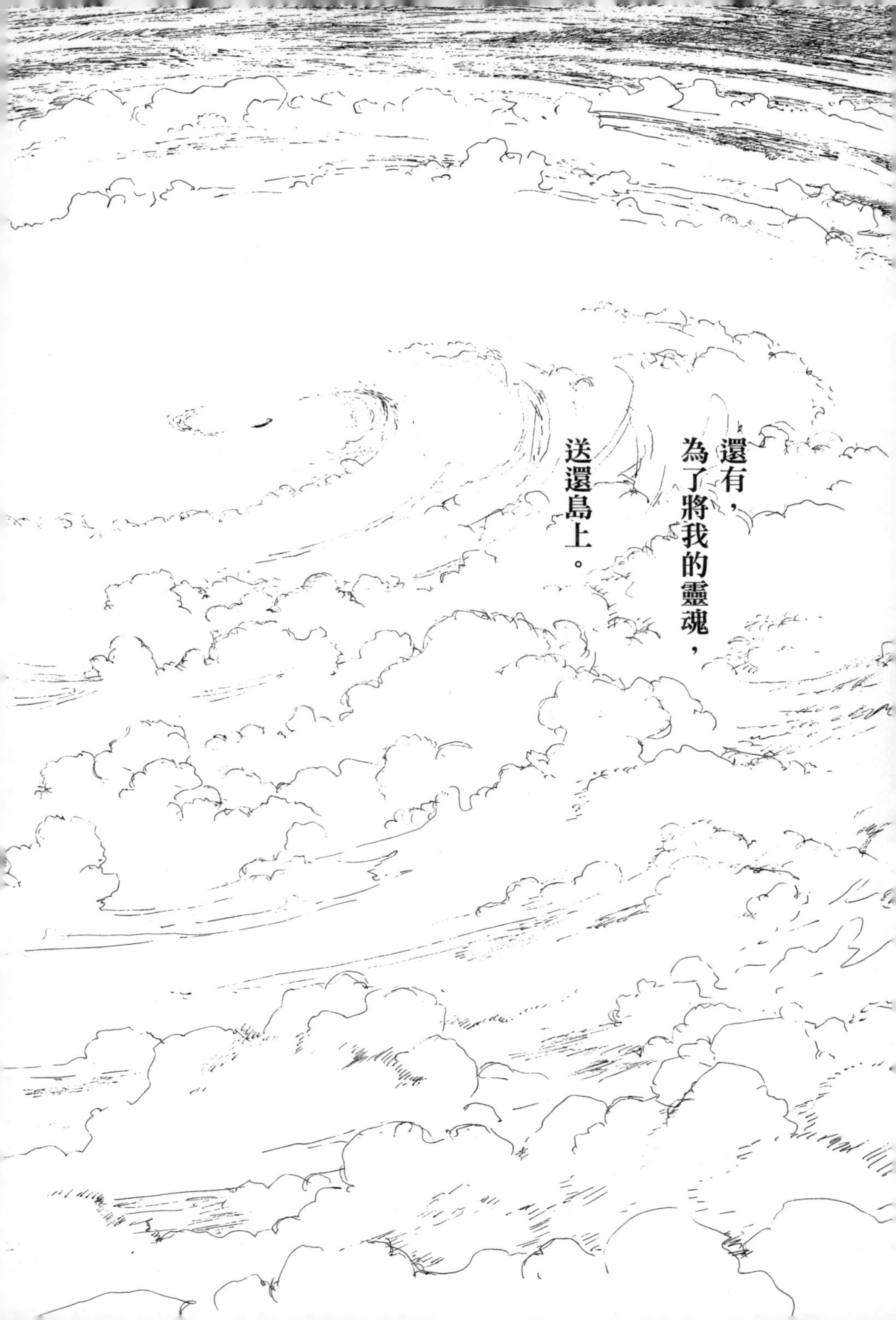
還有，
為了將我的靈魂，
送還島上。

……就這樣，

「那孩子的名字，跟著未來的祝福一同被偷走了。」
「因此，繼承那名字的小孩，會獲得兩人份的祝福……」
是自己原有的那份，以及名字原有者的那份。
「他會懷著兩人份的祝福誕生。」
「這是多麼幸福的事啊！」
「然後呢，這故事的教訓如下。」
「一，不可隨便與人約定。」
「二，做了約定，一定要遵守。」
「三，自己心目中的重要場所，要自己去發現。」
如果發現自己正在照別人的話行事，要試著停下腳步看看。
並不是我唆使她的喔。
這是那個孩子自己做的選擇。
我只是……

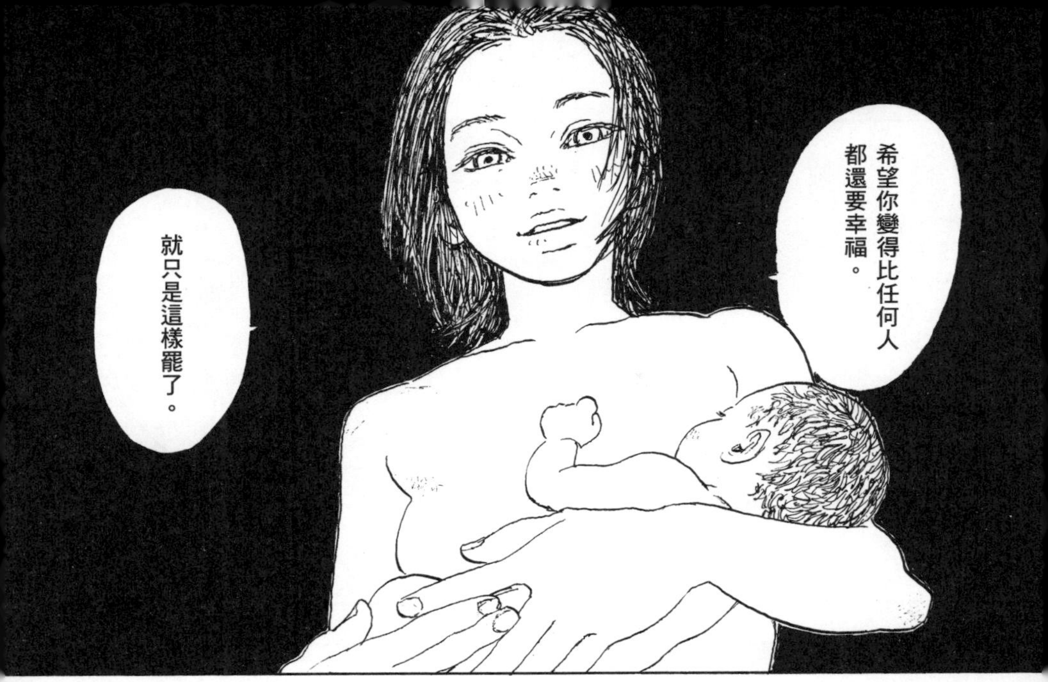
希望你變得比任何人都還要幸福。
就只是這樣罷了。

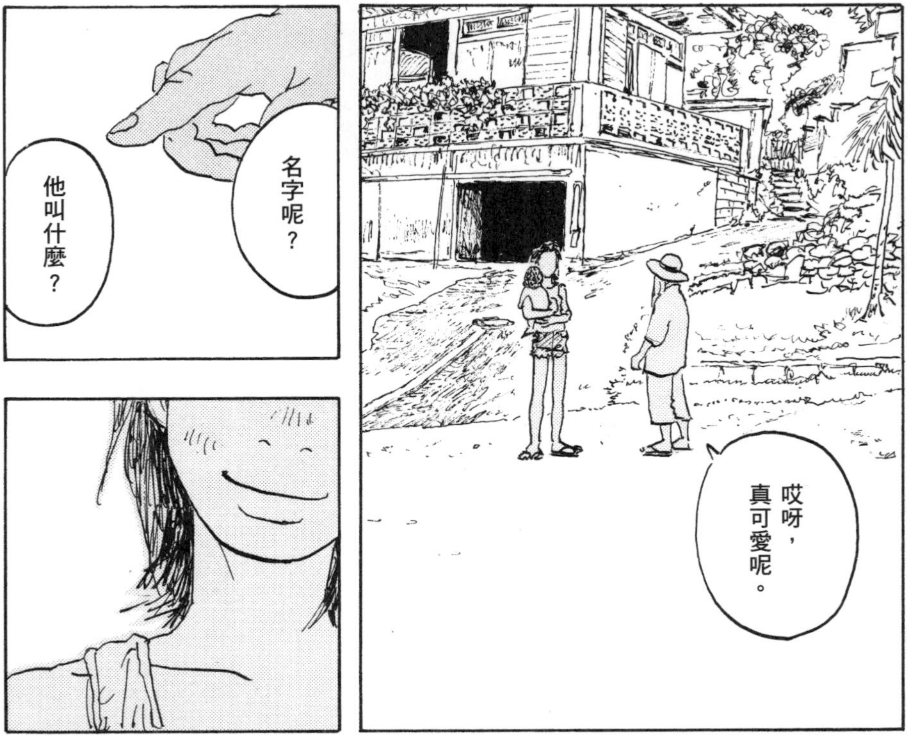
哎呀，真可愛呢。
名字呢？
他叫什麼？

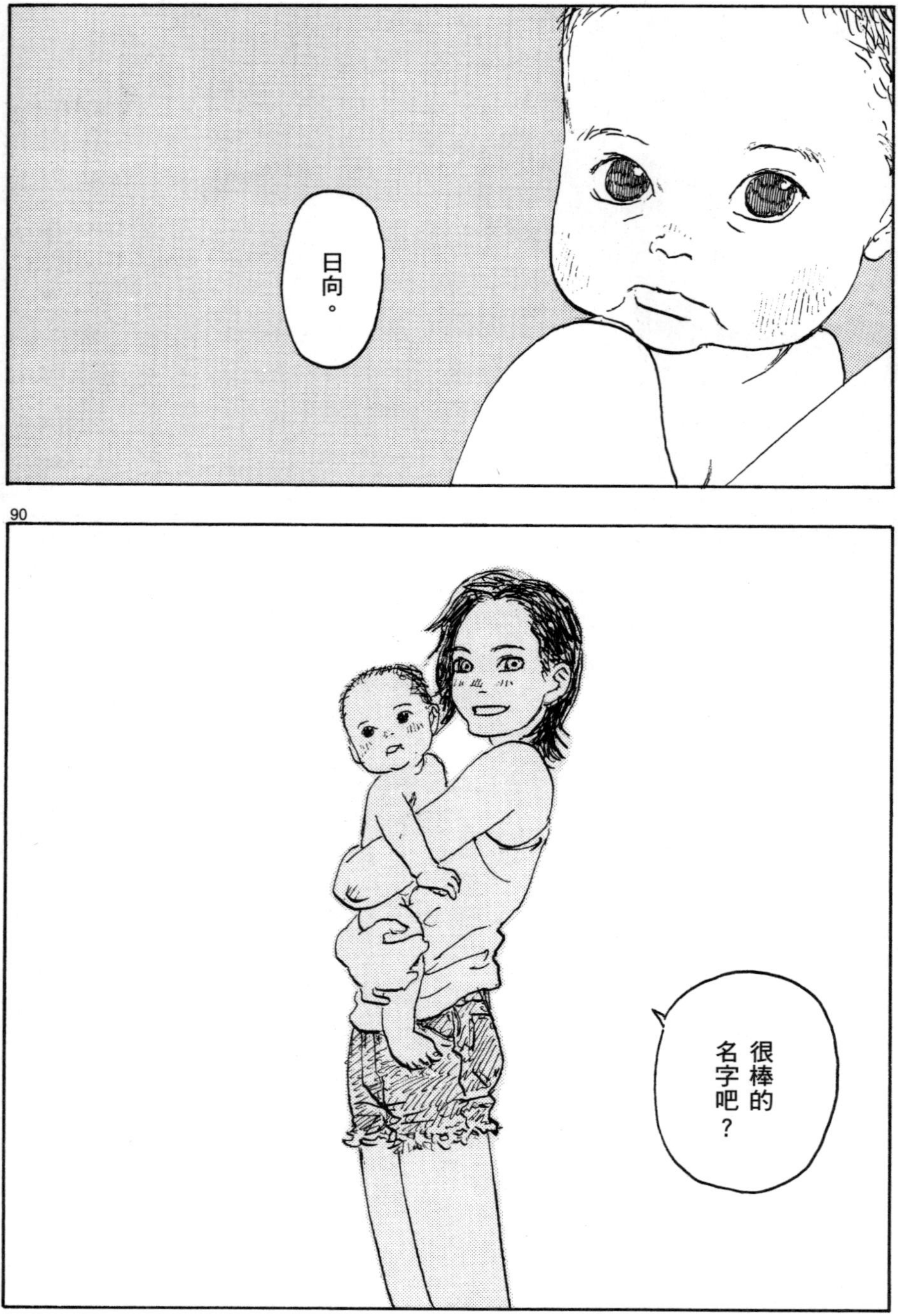

90

盗歌人　完

海灘
披夏瑪！
披夏瑪！
有沒有看到我們家的貓啊？
一個禮拜沒回來了。
我不知道妳的貓去哪了，
不過大約三天前，我看到河裡有貓被沖走。

披夏瑪！
披夏瑪！
都三天了啊？
如果是那樣的話，現在應該被沖到島背面的海灘了呀。
已經變成屍體，
被螃蟹吃到只剩骨頭了呀。
披夏瑪！
島的另一頭的沙灘上有著各種東西，都是乘著海流漂到那裡的。

河裡漂的，
風吹來的，
島外的東西，
都會聚集在一起
被浪打上岸。
呼呼呼呼
捷徑之神、
海灘之神，
打擾了!!
披夏瑪！

!
啪沙沙
沙沙沙沙沙
披夏瑪。
披夏瑪。
披夏瑪……
2^{00}

沙沙沙沙
是太陽雨。
披夏瑪……
早知道就多摸牠一點……
早知道就和牠一起睡覺……
早知道就多陪牠玩……
牠明明那麼愛對我叫……
早知道就不要丟下牠跑去玩……
對不起，披夏瑪。
窸窣
唰哩。
唰哩。
唰哩。

唰哩
唰哩
唰哩
唰哩……
那個！那個！我在找披夏瑪！
我在想牠是不是跑到這裡來了！
披夏瑪（小妞）？
披夏瑪是貓的名字。
咕嚕
瑪亞？
拉
不對！不是的。

滋嚕
不是！
不是亞瑪瑪亞（山貓），
披夏瑪是
辛幾瑪亞（逃跑的貓），
三花貓。
呼……
嗯？
唔……
牠並
未來到
此處。
待在家中，
牠就會
回來吧。
咕嚕
唰哩。
唰哩。
唰哩……
沙
…………

不知為何，
我覺得事情
真的是她說的
那樣。
唧唧唧唧唧唧
披夏瑪
傍晚就回來了。
唧唧
唧
呼嚕呼嚕
披夏瑪……
太好了……
奶奶，
我今天呀，
跑到那裡去囉。
欸！

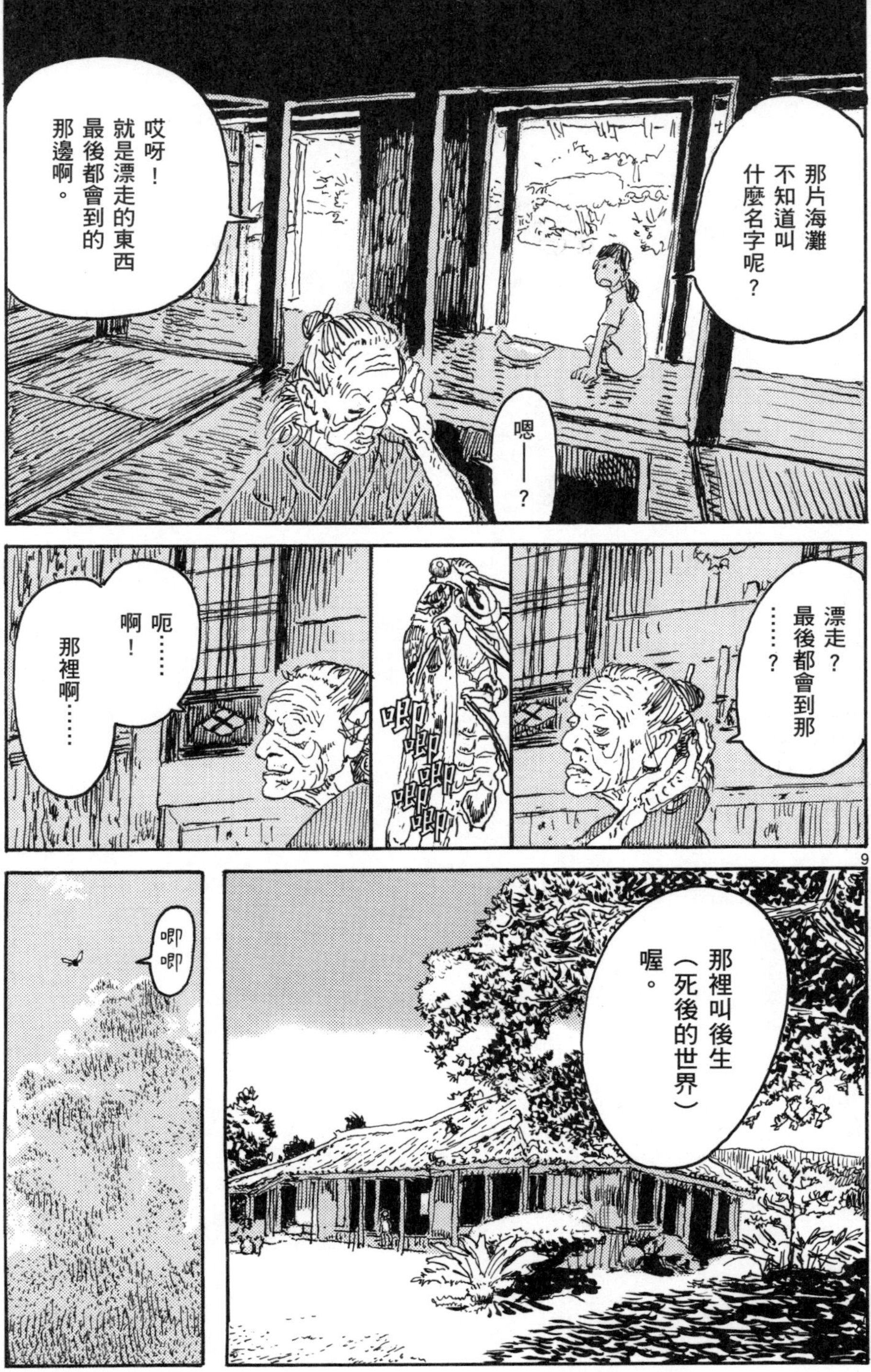
那片海灘不知道叫什麼名字呢？
嗯——？
哎呀！就是漂走的東西最後都會到的那邊啊。
漂走？最後都會到那……？
唧唧唧唧唧唧
呃……啊！那裡啊……
那裡叫後生（死後的世界）喔。
唧唧

魔女　第二集　完

MAJO vol.2 by Daisuke IGARASHI
©2004 Daisuke IGARASHI
All rights reserved.
Original Japanese edition published by SHOGAKUKAN.
Traditional Chinese (in complex characters) translation rights arranged with SHOGAKUKAN.
through Bardon-Chinese Media Agency.

魔女 第2集

PaperFilm FC2060

2021年6月 一版一刷 2024年3月 一版九刷

作　　者／五十嵐大介
譯　　者／黃鴻硯
責任編輯／謝至平
行銷企劃／陳彩玉、楊凱雯、陳紫晴
中文版裝幀設計／馮議徹
排　　版／傅婉琪
編輯總監／劉麗真
事業群總經理／謝至平
發 行 人／何飛鵬
出　　版／臉譜出版
城邦文化事業股份有限公司
台北市南港區昆陽街16號4樓
電話：886-2-25007696 傳真：886-2-25001952
發　　行／英屬蓋曼群島商家庭傳媒股份有限公司城邦分公司
台北市南港區昆陽街16號8樓
客服專線：02-25007718；25007719
24小時傳真專線：02-25001990；25001991
服務時間：週一至週五上午09:30-12:00；下午13:30-17:00
劃撥帳號：19863813 戶名：書虫股份有限公司
讀者服務信箱：service@readingclub.com.tw
城邦網址：http://www.cite.com.tw
香港發行所／城邦（香港）出版集團有限公司
香港灣仔駱克道193號東超商業中心1樓
電話：852-25086231 傳真：852-25789337
新馬發行所／城邦（新、馬）出版集團
Cite（M）Sdn. Bhd.（458372U）
41-3, Jalan Radin Anum, Bandar Baru Sri Petaling,
57000 Kuala Lumpur, Malaysia.
電話：603-90563833 傳真：603-90576622
電子信箱：services@cite.my

版權所有．翻印必究（Printed in Taiwan）

售價：250元
本書如有缺頁、破損、倒裝，請寄回更換

ISBN 978-986-235-943-3

Taiwan Chinese edition, for distributions and sale in Taiwan,
Hong Kong, Macau, Singapore and Malaysia only.
日本小學館正式授權繁體中文版。限台灣及港澳、新馬地區發行販賣。